UN AMOR
ENFERMO

UN AMOR
ENFERMO

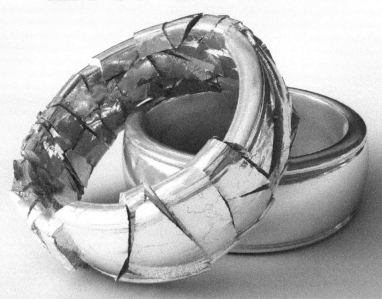

DIAGNOSTICANDO EL MATRIMONIO
DE UNA ENFERMEDAD FATAL

DR. DAVID LAZO

Impreso en los Estados Unidos
ISBN-13: 979-8-9855727-4-2
LCCN: 2024902737

Unidos En Amor
Colorado Springs, Colorado

DEDICATORIA

Con gratitud y emoción, dedico este libro "Un Amor Enfermo" a Dios, fuente de inspiración y guía en este viaje literario. Que Su luz ilumine cada página de este libro. A mi amada esposa Raquel, mi compañera de vida y mi bella inspiradora, le dedico este libro con todo mi corazón. Su apoyo incondicional y su amor han sido la fuerza detrás de cada palabra escrita. En este viaje llamado matrimonio, tu amor ha sido mi guía y mi inspiración. Gracias por ser la persona increíble que eres y por hacer de nuestro matrimonio un lugar lleno de amor, risas y complicidad. Te amo más de lo que las palabras pueden expresar. Aquí estoy, agradecido por ti hoy y siempre.

Con todo mi amor.

CONTENIDO

INTRODUCION

En el sagrado vínculo del matrimonio, se entrelazan dos almas con la esperanza de construir una vida llena de amor, respeto y compañerismo. Sin embargo, a veces, incluso en esta unión sagrada, pueden surgir dificultades y desafíos que ponen a prueba la fortaleza de la relación. "Un Amor Enfermo" es un libro que explora las luchas y tribulaciones que pueden afligir a un matrimonio y nos invita a reflexionar sobre la sanidad y la restauración.

Basado en los principios bíblicos, "Un Amor Enfermo" nos sumerge en la realidad cruda de las relaciones matrimoniales que han perdido su brillo y han sido envueltas por la oscuridad de la discordia y el dolor. A través de las páginas de este libro, se nos recuerda que el amor no es solo un sentimiento, sino una elección constante de amar, perdonar y comprometerse mutuamente. Encontraremos en las enseñanzas bíblicas valiosas lecciones sobre la importancia de la comunicación honesta, la compasión, la paciencia y la búsqueda de la reconciliación. "Un Amor Enfermo" nos invita a examinar nuestras propias acciones y actitudes dentro del matrimonio, recordándonos que ninguna relación está exenta de dificultades, pero que, con la ayuda de Dios y un corazón dispuesto, podemos encontrar la sanidad y restauración necesaria.

A través de las historias y experiencias de los personajes de este libro, nos desafían a confrontar las heridas emocionales y a buscar la orientación divina para enfrentar los desafíos con fe y perseverancia. La obra nos insta a recordar la importancia de honrar nuestros votos matrimoniales, cultivar el respeto mutuo y buscar el crecimiento personal y espiritual dentro de la relación. Que este libro, "Un Amor Enfermo" sea una guía inspiradora para aquellos matrimonios que atraviesan tiempos difíciles, recordándoles que, con la ayuda de Dios y un compromiso genuino, pueden superar cualquier obstáculo y encontrar la restauración que anhelan. Que este libro sea un faro de esperanza y sabiduría, brindando consuelo y dirección a aquellos que buscan fortalecer su vínculo matrimonial y construir un amor que sea verdadero, saludable y duradero.

Dr. David Lazo

CAPITULO UNO

LA SEMILLA DEL AMOR

¿Qué es una semilla de amor? "Una semilla de amor" es una expresión metafórica que se utiliza para describir un gesto o acción pequeña que tiene el potencial de cultivar y promover sentimientos de amor y bondad en tu conyugue. Al igual que una semilla en la naturaleza, una pequeña acción de amor puede crecer y florecer, generando un impacto positivo en tu pareja. Puede referirse a actos de amabilidad, compasión, generosidad o cualquier otra forma de mostrar afecto y preocupación hacia ambos. La idea central es que incluso las acciones más pequeñas pueden tener un efecto significativo en tu matrimonio y en tus hijos.

En el amplio jardín de un matrimonio floreciente, una pequeña semilla de amor fue sembrada. Esta semilla, aparentemente insignificante se convirtió en el cimiento solido sobre el cual creció una relación sólida y duradera. En este capítulo, exploraremos como esta semilla de amor se manifestó en diferentes aspectos de la vida conyugal, cultivando una conexión profunda y llena de felicidad. Aquí les doy cuatro importantes puntos que te ayudara a cultiva esa semilla de amor.

PUNTO UNO: Actos cotidianos de amor y apoyo.

En el día a día, el matrimonio es regado con pequeños actos de amor. Desde una taza de café preparado con cariño hasta un mensaje de aliento en momentos difíciles, cada gesto alimenta la semilla de amor. Los conyugues aprenden a ser atentos el uno al otro, siempre mostrando interés genuino en sus éxitos. A través de estas acciones, la semilla de amor se fortalece y se convierte en un recordatorio constante de la importancia de cuidar y nutrir la relación. Este habito, ayuda a mantener una relación sana y saludable en la cual edifica ternura, compasión, sensibilidad, aprecio y un amor que ayuda a edificar otros componentes en el matrimonio, tal como.

Gestos de afecto físico: En el día a día de un matrimonio, los gestos de afecto físico pueden ser poderosos actos de amor. Un simple abrazo o beso al despertar por la mañana, tomarse de las manos mientras dan un paseo juntos o acurrucarse en el sofá al final del día, son expresiones de amor que brindan consuelo y conexión emocional.

Escucha activa y apoyo emocional: Uno de los pilares fundamentales del amor y apoyo en un matrimonio es la capacidad de escuchar activamente y ofrecer apoyo emocional. Esto implica brindar atención plena cuando el cónyuge comparte sus preocupaciones, alegrías o problemas, y ofrecer palabras de aliento, comprensión y empatía. Estar presente y mostrar interés genuino en los sentimientos y pensamientos del otro es un acto poderoso de amor cotidiano.

Compartir responsabilidades: En una relación de pareja sólida, compartir responsabilidades y tareas diarias es un acto de amor y apoyo. Esto implica colaborar en las tareas del hogar, la crianza de los hijos, las obligaciones laborales y cualquier otra responsabilidad que surja. Trabajar juntos para mantener el equilibrio y apoyarse mutuamente en las responsabilidades diarias y crea un sentido de equipo y refuerza en el vínculo de amor en el matrimonio.

Estos tres puntos ejemplifican cómo los actos cotidianos de amor y apoyo pueden fortalecer y nutrir una relación matrimonial, ayudando a crear un ambiente de amor y conexión duradera.

PUNTO DOS: Comunicación y comprensión.

La semilla de amor también florece en la forma en que los cónyuges se comunican y se comprenden mutuamente. Aprendan a escucharse con empatía y a expresar sus sentimientos con sinceridad y respeto. A través de una comunicación abierta y honesta, la semilla de amor crece en un entorno donde se valora la expresión de los pensamientos y emociones. Allí crese un espacio seguro donde ambos conyugues podrán crece individualmente y en conjunto. El comprender a su conyugue no es fácil ya que los dos son tan diferentes en su aspecto y naturaleza, pero es posible comprenderse, si los dos están dispuestos a aprender de ambos la forma que Dios los diseño. Cuando los dos aprenden el diseño, la comunicación será mucho más fácil y comprensiva.

Escucha activa y sin juicio: La comunicación efectiva en el matrimonio comienza con la práctica de la escucha activa y sin juicio. Esto implica prestar atención completa a lo que el cónyuge está diciendo, sin interrupciones ni distracciones. Es importante estar presentes y mostrar interés genuino en sus palabras y sentimientos. Evitar juzgar o criticar, y en su lugar, tratar de comprender la perspectiva del otro antes de responder. Esta actitud fomenta un ambiente de apertura y confianza en la comunicación.

Expresión honesta y respetuosa: La comunicación abierta y honesta es clave para el entendimiento mutuo en el matrimonio.

Cada cónyuge debe sentirse seguro para expresar sus pensamientos, sentimientos y necesidades de manera respetuosa. Es importante evitar el uso de lenguaje ofensivo o agresivo y en su lugar, comunicarse de manera clara y calmada. Al ser honestos y respetuosos en la comunicación, se establece una base sólida para la comprensión mutua.

Empatía y validación: La comprensión en el matrimonio se fortalece cuando los cónyuges practican la empatía y la validación de los sentimientos del otro. Es importante intentar ponerse en el lugar del otro y comprender cómo se sienten. Mostrar empatía implica escuchar y reconocer las emociones del cónyuge, incluso si no está de acuerdo con su perspectiva. Además, validar los sentimientos del otro proporciona un sentido de apoyo y aceptación, creando un ambiente donde ambos se sienten comprendidos y valorados.

Estos tres puntos resaltan la importancia de la comunicación y comprensión en el matrimonio. A través de la escucha activa y sin juicio, la expresión honesta y respetuosa, así como la práctica de la empatía y la validación, los cónyuges pueden fortalecer su conexión y desarrollar una comunicación más profunda y significativa.

PUNTO TRES: Apoyo mutuo en los momentos difíciles.

La semilla de amor se fortalece aún más cuando el matrimonio enfrenta desafíos y pruebas. En lugar de permitir que el desánimo se apodere de uno, los dos se apoyan mutuamente. La semilla de amor es el refugio en medio de las tormentas, proporcionando consuelo y fortaleza en tiempos difíciles. A través de su apoyo mutuo, la semilla de amor crece en raíces profundas que mantiene al matrimonio firme incluso en las adversidades. Recuerden que los dos forman un equipo, en el cual tienen que apoyarse mutuamente, para ganar cualquier batalla que venga a sus vidas.

Escucha activa y comprensión: En los momentos difíciles, el apoyo mutuo comienza con una escucha activa y comprensiva. Ambos cónyuges deben brindarse el espacio para expresar sus preocupaciones, miedos o frustraciones. Escuchar con empatía y sin juzgar, permitiendo que cada uno se sienta comprendido y apoyado en sus dificultades. Esta actitud de escuchar crea un ambiente de confianza y fomenta la apertura emocional entre los cónyuges.

Apoyo emocional incondicional: El apoyo mutuo implica estar allí el uno para el otro de manera incondicional, incluso en los momentos más difíciles. Es un compromiso de respaldo y consuelo sin importar las circunstancias. Esto implica ofrecer palabras de aliento y ánimo, abrazos reconfortantes y recordarle al otro que no están solos. Brindarse apoyo emocional en los momentos difíciles, crea un vínculo más fuerte y fortalece la relación matrimonial.

Compartir la carga: En momentos de adversidad, el apoyo mutuo también se manifiesta en compartir la carga de los desafíos. Esto implica repartir las responsabilidades y encontrar soluciones juntos. Trabajar en equipo para superar obstáculos, buscar alternativas y dividir las tareas, puede aliviar la carga emocional y física de los momentos difíciles. Al compartir la carga, los cónyuges se apoyan mutuamente y demuestran que están juntos en el camino hacia la resolución de problemas.

Estos tres puntos destacan la importancia del apoyo mutuo en los momentos difíciles de una relación matrimonial. A través de la escucha activa, el apoyo emocional incondicional y el compartir la carga, los cónyuges pueden enfrentar juntos los desafíos de la vida y fortalecer aún más su conexión amorosa.

PUNTO CUATRO: Celebrando los momentos de alegría y crecimiento.

La semilla de amor también se manifestó en la celebración de los momentos de alegría y crecimiento. Los cónyuges se animaron mutuamente a perseguir sus sueños y metas individuales, mientras celebraban los logros compartidos. Cada paso hacia adelante se convirtió en un motivo para regar la semilla de amor, y así el matrimonio floreció en una relación llena de felicidad y satisfacción mutua.

Reconocimiento y aprecio: En un matrimonio saludable, es importante reconocer y apreciar los momentos de alegría y crecimiento tanto propios como de la pareja. Expresar gratitud por los logros alcanzados, ya sean grandes o pequeños, fortalece el vínculo emocional. Celebrar juntos los éxitos, como un ascenso laboral, la finalización de un proyecto importante o la superación de un desafío personal, crea un ambiente de apoyo y alegría mutua.

Ritualizar las celebraciones: Establecer rituales especiales para celebrar los momentos de alegría y crecimiento puede agregar significado y emoción a la experiencia. Por ejemplo, podrían elegir una actividad que ambos disfruten, como una cena en su restaurante favorito, una escapada de fin de semana o incluso simplemente hacer un brindis en casa. Estos rituales se convierten en momentos especiales que refuerzan la importancia de los logros y crean recuerdos compartidos en el matrimonio.

Compartir y reflexionar juntos: Los momentos de alegría y crecimiento pueden ser aún más significativos cuando se comparten y se reflexiona sobre ellos como pareja. Dediquen tiempo para hablar sobre los logros y experiencias que los han llevado a este punto. Compartan sus emociones, aprendizajes y reflexiones sobre cómo han crecido como individuos y como matrimonio. Esta comunicación abierta y sincera fortalece la conexión y permite que ambos se sientan valorados y escuchados en su camino de crecimiento conjunto.

Estos tres puntos muestran cómo celebrar los momentos de alegría y crecimiento en un matrimonio lo cual puede fortalecer la conexión emocional y nutrir la relación. A través del reconocimiento y aprecio, la ritualización de las celebraciones y la comunicación compartida, los cónyuges pueden crear un ambiente positivo y amoroso donde celebrar juntos los logros a lo largo del camino.

La semilla de amor, aparentemente pequeña pero poderosa, se convierte en el motor que impulsa el crecimiento y la fortaleza de un matrimonio. A través de actos cotidianos de amor, comunicación sincera, apoyo mutuo y celebración de los momentos especiales, esta semilla florece en un jardín de amor duradero. En este matrimonio, la semilla de amor se convierte en una inspiración constante para recordar el valor del cultivo.

Aquí tienes cinco preguntas que pueden ayudar a los matrimonios a entender los principios de una "semilla de amor": En un cuaderno separado, cada uno escriba la respuesta de cada pregunta, y comparta la respuesta con tu conyugue, y hablen sobre cómo pueden incorporar o establecer nuevos cimientos en la relación.

1. ¿Cómo estamos cultivando la semilla de amor en nuestra relación matrimonial?

2. ¿Qué acciones o actitudes estamos sembrando en nuestra vida diaria que fortalecen nuestro amor mutuo?

3. ¿Estamos regando regularmente nuestra relación con el agua del perdón, la comprensión y la paciencia?

4. ¿Cuáles son los obstáculos que podrían estar impidiendo que la semilla de amor crezca y florezca en nuestro matrimonio?

5. ¿Qué pasos podemos dar juntos para nutrir y fortalecer la semilla de amor en nuestro matrimonio, y cómo podemos involucrar a Dios en este proceso?

Estas preguntas pueden servir como punto de partida para una reflexión profunda y una conversación constructiva en el matrimonio. Al abordar estos principios y buscar respuestas sinceras, como cónyuges pueden comprender mejor cómo están cultivando el amor en su relación y tomar medidas concretas para fomentar un crecimiento saludable y duradero.

Recuerda que La Semilla de Amor en un matrimonio cristiano representa el fundamento sobre el cual se construye una relación sólida y duradera. Esta semilla se basa en los principios bíblicos del amor sacrificial, la compasión, el perdón y la entrega mutua. El cultivo de la Semilla del amor implica el compromiso de ambas partes de nutrir y fortalecer la relación a lo largo del tiempo. Esto se logra a través de la comunicación abierta y honesta, la práctica del perdón y la gracia, y la búsqueda conjunta de una intimidad espiritual y emocional más profunda. Es importante reconocer que la Semilla de Amor requiere tiempo, paciencia y dedicación para florecer. Requiere regarla con palabras amables y actos de bondad, cuidarla a través de momentos de conexión y comprensión, y protegerla de influencias externas que puedan amenazar su crecimiento.

Al nutrir y cultivar la Semilla de Amor en un matrimonio, las parejas pueden experimentar una relación enriquecedora y satisfactoria. Este amor basado en principios bíblicos trasciende las circunstancias y desafíos, y se convierte en una fuente de fortaleza, apoyo y alegría mutua.

La Semilla de Amor en un matrimonio es un llamado a la reflexión y a la acción, invitando a las parejas a priorizar su relación, a buscar la guía de Dios y a comprometerse en el crecimiento y el cuidado mutuo. Con la bendición de Dios y el esfuerzo conjunto de los cónyuges, la Semilla de Amor puede florecer y ser una fuente de bendición y testimonio en el matrimonio.

CAPITULO DOS

SEÑALES DE UNA OBSESION

E l amor puede ser un sentimiento poderoso y profundo, capaz de despertar emociones intensas en el corazón de quienes lo experimentan. Sin embargo, en ocasiones, este amor puede transformarse en una obsesión que distorsiona la relación matrimonial. En este capítulo, exploraremos las señales reveladoras de una obsesión en un matrimonio, analizando los comportamientos y patrones que pueden indicar que el amor se ha vuelto demasiado absorbente. Miremos los siguientes puntos:

Constante necesidad de control: Uno de los cónyuges muestra un deseo excesivo de controlar cada aspecto de la vida del otro, desde sus actividades diarias hasta sus amistades y decisiones personales. Aquí tienes un ejemplo de constante necesidad de control en un matrimonio:

María y Juan están casados y María tiene una obsesión por tener el control total sobre la vida de Juan. Constantemente le exige que le dé detalles minuciosos de su rutina diaria, desde a qué hora se levanta hasta con quién habla en el trabajo. María también insiste en revisar su teléfono móvil y sus correos electrónicos regularmente, para asegurarse de que no haya ninguna interacción que ella considere amenazante para su matrimonio. Además, María decide unilateralmente qué actividades pueden

11

hacer juntos y qué amigos pueden visitar. Si Juan sugiere algo diferente o trata de tomar decisiones por sí mismo, María reacciona con ira y manipulación emocional, acusándolo de no amarla lo suficiente o de no preocuparse por su bienestar.

Esta constante necesidad de control de María ha llevado a una dinámica tóxica en su matrimonio, donde Juan se siente atrapado y sin libertad para ser él mismo. La obsesión de María por controlar cada aspecto de la vida de Juan ha generado tensión, falta de confianza y una sensación de asfixia en su relación.

Celos excesivos e infundados: Se experimentan episodios frecuentes de celos intensos y sin base real, lo que puede generar constantes acusaciones y desconfianza hacia el cónyuge. Aquí tienes un ejemplo de celos excesivos e infundados en un matrimonio:

Carlos y Ana están casados y Carlos tiene una obsesión por los celos. A menudo se muestra extremadamente sospechoso y desconfiado de las interacciones de Ana con otras personas, incluso cuando no hay ninguna razón real para ello. Si Ana recibe una llamada telefónica o un mensaje de texto, Carlos inmediatamente asume que es alguien con quien Ana está coqueteando o manteniendo una relación secreta. Estos celos infundados de Carlos llevan a constantes interrogatorios y acusaciones hacia Ana. Él revisa regularmente su teléfono, su historial de navegación en Internet y busca cualquier indicio que respalde sus sospechas, incluso cuando no hay pruebas reales que sugieran que Ana está siendo desleal.

Además, Carlos se siente incómodo e inseguro cuando Ana pasa tiempo con amigos o familiares, siempre creyendo que podría haber alguien en esas reuniones que intente seducirla o alejarla de él. Además, Carlos se siente incómodo e inseguro cuando Ana pasa tiempo con amigos o familiares, siempre creyendo que podría haber alguien en esas reuniones que intente seducirla o alejarla de él. La obsesión de Carlos por los celos excesivos e infundados ha generado una atmósfera de tensión y desconfianza en su matrimonio. Ana se siente constantemente vigilada y juzgada, lo que ha erosionado su confianza mutua y ha generado un ambiente tóxico de acusaciones y discusiones constantes.

Aislamiento social: La obsesión en el matrimonio puede llevar a un aislamiento social, donde uno de los cónyuges trata de mantener al otro alejado de amigos, familiares y actividades sociales, creando una dependencia exclusiva de la pareja. Aquí tienes un ejemplo de aislamiento social en un matrimonio: María y Luis están casados, y María tiene una obsesión por mantener a Luis exclusivamente para ella. Ella constantemente desalienta a Luis de pasar tiempo con sus amigos o participar en actividades sociales fuera del matrimonio. Si Luis intenta hacer planes con sus amigos, María hace todo lo posible por convencerlo de que cancele esos encuentros o manipula la situación para que él se sienta culpable por querer salir sin ella. María también evita activamente la interacción de Luis con su propia familia, buscando excusas para evitar visitas o eventos familiares. Ella quiere que Luis dependa únicamente de ella para satisfacer todas sus necesidades emocionales y sociales.

Como resultado, Luis se ha visto alejado gradualmente de sus amistades y de sus lazos familiares. Ha perdido el contacto con personas importantes en su vida y se ha vuelto cada vez más aislado socialmente. La obsesión de María por mantener a Luis a su lado y alejarlo de su entorno social ha creado una dinámica de dependencia y aislamiento en su matrimonio. Esto puede llevar a una sensación de soledad, falta de apoyo externo y un deterioro en la calidad de vida de Luis, así como a una pérdida de equilibrio y conexión con el mundo exterior.

Sacrificio excesivo de intereses y pasatiempos individuales: Uno o ambos cónyuges dejan de lado sus propios intereses y pasatiempos para centrarse únicamente en satisfacer las necesidades y deseos de la pareja, perdiendo así su propia identidad y felicidad personal. Aquí tienes un ejemplo de sacrificio excesivo de intereses y pasatiempos individuales en un matrimonio:

Ana y Miguel están casados, y Ana tiene una obsesión por satisfacer las necesidades y deseos de Miguel en todo momento. Ella ha dejado de lado por completo sus propios intereses y pasatiempos para centrarse exclusivamente en complacer a su esposo. Antes de casarse, a Ana le encantaba pintar y dedicar tiempo a su creatividad artística. Sin embargo, desde que contrajo matrimonio, ha abandonado su pasión por completo, ya que Miguel no muestra interés por el arte y considera que es una pérdida de tiempo. Ana también solía disfrutar de salidas regulares con sus amigas, pero desde que se casó, ha dejado de hacerlo porque Miguel se siente incómodo con esas salidas y le insiste en que pase todo su tiempo libre con él.

Ana también solía disfrutar de salidas regulares con sus amigas, pero desde que se casó, ha dejado de hacerlo porque Miguel se siente incómodo con esas salidas y le insiste en que pase todo su tiempo libre con él. La obsesión de Ana por complacer a Miguel ha llevado a un desequilibrio en su matrimonio, donde sus propias necesidades y deseos han sido dejados de lado. Esto puede generar una falta de satisfacción personal y un deterioro en la calidad de vida de Ana, así como una falta de equilibrio y crecimiento individual en su relación.

Falta de límites personales: No se respetan los límites personales, ya sea en términos de espacio físico, tiempo personal o privacidad. Existe una invasión constante del espacio personal del otro sin respetar su autonomía. Aquí tienes un ejemplo de falta de límites personales en un matrimonio:

Laura y Alejandro están casados, y han desarrollado una dinámica en la que no respetan los límites personales del otro. No hay un espacio claro y definido para cada uno en términos de tiempo, espacio físico o privacidad. Por ejemplo, Laura tiene la costumbre de entrar sin previo aviso al estudio de Alejandro mientras él trabaja, interrumpiendo su concentración y espacio de trabajo. No respeta su necesidad de privacidad y espacio personal, lo que genera frustración y dificulta el desempeño de Alejandro en su trabajo.

Además, Alejandro no establece límites claros con respecto a su tiempo libre y se deja llevar fácilmente por las demandas de Laura. A menudo, cancela sus planes personales para complacer las necesidades de ella, incluso cuando no es conveniente o saludable para él. Esta falta de límites personales ha creado una dinámica de invasión y falta de respeto mutuo en su matrimonio. Ambos se sienten incómodos y agobiados por la falta de espacio personal y privacidad. La ausencia de límites claros afecta negativamente su individualidad y bienestar emocional, y puede conducir a una sensación de falta de autonomía y resentimiento en la relación.

Dependencia emocional extrema: La relación se vuelve emocionalmente dependiente, donde uno o ambos cónyuges no pueden encontrar satisfacción o felicidad fuera de la presencia y atención constante de la pareja. Aquí tienes un ejemplo de dependencia emocional extrema en un matrimonio:

Sara y Javier están casados, y Sara tiene una dependencia emocional extrema hacia Javier. Ella no puede encontrar satisfacción o felicidad fuera de la presencia y atención constante de su esposo. Sara busca constantemente la validación y el apoyo emocional de Javier para cada aspecto de su vida. Si Javier no está disponible o no puede responder a sus necesidades emocionales de inmediato, Sara se siente ansiosa y desesperada, como si su mundo se estuviera desmoronando.

Además, Sara ha dejado de lado sus propias amistades y actividades para estar exclusivamente centrada en Javier. Ella no puede tomar decisiones importantes sin consultar con él, y su estado de ánimo depende en gran medida de la forma en que él la trata o la valora. Esta dependencia emocional extrema de Sara ha generado una dinámica desequilibrada en su matrimonio. Javier se siente asfixiado por la necesidad constante de atención de Sara y tiene dificultades para mantener su propia autonomía y espacio personal.

La obsesión de Sara por la dependencia emocional hacia Javier puede generar una presión abrumadora en su relación, llevando a un desgaste emocional y dificultades para desarrollar una individualidad saludable. Es importante establecer límites emocionales y fomentar una autonomía equilibrada dentro del matrimonio para promover una relación sana y satisfactoria.

Comportamientos obsesivos y repetitivos: Uno de los cónyuges muestra comportamientos obsesivos y repetitivos, como revisar constantemente el teléfono o las redes sociales del otro, seguirlo constantemente o hacer preguntas insistentes sobre sus acciones y pensamientos.

Aquí tienes un ejemplo de comportamientos obsesivos y repetitivos en un matrimonio:

Marcela y Andrés están casados, y Marcela muestra comportamientos obsesivos y repetitivos hacia su esposo. Ella constantemente revisa su teléfono móvil en busca de mensajes o pistas que puedan indicarle algo negativo sobre su fidelidad. Marcela también sigue a Andrés de cerca, tanto físicamente como en las redes sociales. Si Andrés sale de casa, Marcela tiende a seguirlo discretamente o incluso contrata a alguien para hacer un seguimiento de sus movimientos. Además, controla meticulosamente su actividad en las redes sociales, analizando cada publicación y comentario que hace, buscando cualquier signo de algo que pueda considerar inapropiado o amenazante para su matrimonio.

Estos comportamientos obsesivos y repetitivos de Marcela generan una constante tensión y desconfianza en su relación. Andrés se siente constantemente vigilado y juzgado, lo que afecta su privacidad y libertad personal. La obsesión de Marcela por controlar y monitorear de cerca a Andrés ha creado una dinámica tóxica en su matrimonio. Los comportamientos obsesivos y repetitivos socavan la confianza mutua y dificultan la construcción de una relación saludable basada en el respeto y la libertad individual. Es importante buscar ayuda profesional para abordar y superar estos comportamientos y restablecer una relación de confianza y bienestar mutuo.

Es importante recordar que una obsesión en el matrimonio puede ser perjudicial para la relación y la salud emocional de ambas partes. Si alguna de estas señales resuena contigo, considera buscar ayuda profesional para abordar y superar la obsesión.

Aquí tienes cinco preguntas que pueden ayudar a los matrimonios a reconocer y conquistar las señales de una obsesión: En un cuaderno separado, escriba la respuesta de cada pregunta, y comparta la respuesta con tu conyugue, y hablen sobre cómo pueden cambiar las obsesiones que los están ahogando, y como pueden hacer esos cambios.

1. ¿Estamos dedicando la mayor parte de nuestro tiempo y energía a pensar o hablar sobre una sola persona o aspecto de nuestra relación?

2. ¿Sentimos una necesidad excesiva de controlar o supervisar los movimientos y acciones de nuestra pareja?

3. ¿Nos sentimos ansiosos o inseguros cuando no estamos en contacto constante con nuestra pareja?

4. ¿Hemos dejado de cultivar nuestras propias individualidades y hobbies debido a una obsesión por nuestra relación?

5. ¿Hemos perdido contacto con amigos y familiares debido a la priorización exclusiva de nuestra pareja?

Las señales de una obsesión en un matrimonio cristiano son indicadores de un desequilibrio y una dependencia emocional extrema hacia el cónyuge. Estas señales pueden manifestarse a través de comportamientos controladores, celos excesivos, falta de confianza y la pérdida de la individualidad y la autonomía en la relación. La obsesión en un matrimonio cristiano puede surgir cuando se confunden los límites saludables del amor y se coloca al cónyuge en un pedestal, convirtiéndolo en el centro de la vida y la fuente exclusiva de felicidad y satisfacción. Esto puede generar un ambiente de control, miedo e inseguridad en la relación.

Es importante reconocer las señales de una obsesión a tiempo para poder abordarlas y buscar una transformación positiva en la dinámica matrimonial. Esto implica trabajar en el desarrollo de la confianza mutua, establecer límites claros y saludables, buscar ayuda y orientación profesional y espiritual, y fomentar una relación equilibrada basada en la libertad y el respeto. El camino hacia la sanidad y la liberación de la obsesión en un matrimonio cristiano requiere un compromiso firme de buscar a Dios como la fuente última de identidad y satisfacción, permitiendo que su amor y gracia transformen la relación. Esto implica renunciar a la necesidad de controlar al cónyuge y cultivar una relación de amor basada en el respeto, la confianza y el crecimiento mutuo.

En última instancia, el reconocimiento y la acción ante las señales de una obsesión en un matrimonio cristiano pueden conducir a la restauración, la sanidad y la liberación de patrones de comportamiento destructivos. Con la guía de Dios y el esfuerzo conjunto de los cónyuges, es posible experimentar un amor saludable, equilibrado y libre de obsesiones en el matrimonio.

CAPITULO TRES

LOS PRIMEROS SINTOMAS

E n este capítulo, exploraremos en profundidad los diferentes síntomas de un amor enfermo desde una perspectiva cristiana. Examina cómo estos síntomas pueden infiltrarse en nuestras relaciones y afectar nuestra vida espiritual. Algunos temas clave que se abordan en este capítulo son:

Obsesión desmedida:

Una obsesión desmedida se refiere a una fascinación o preocupación extrema y poco saludable por algo o alguien. Una obsesión desmedida en un matrimonio cristiano se refiere a una preocupación y enfoque excesivo en la pareja o en la relación matrimonial, que supera los límites saludables. Esto puede afectar negativamente la dinámica y el crecimiento espiritual de ambos cónyuges. Aquí tienes un resumen de lo que significa una obsesión desmedida en un matrimonio cristiano:

Priorización excesiva: Una persona obsesionada puede poner a su pareja o a la relación en un nivel de prioridad tan alto que descuida su relación personal con Dios. Puede comenzar a buscar en su pareja la satisfacción emocional y espiritual que solo Dios puede proporcionar.

Falta de confianza en Dios: La obsesión desmedida puede reflejar una falta de confianza en la provisión y el plan de Dios para la vida matrimonial. La persona obsesionada puede depender más de su pareja que de Dios y buscar en la relación matrimonial una seguridad y felicidad que solo Dios puede dar.

Control y posesividad: La obsesión desmedida puede llevar a comportamientos de control y posesividad hacia la pareja, limitando su libertad y autonomía. Esto va en contra del llamado bíblico a amar y respetar al cónyuge como individuo único y valioso.

Falta de equilibrio y crecimiento personal: La obsesión desmedida puede hacer que una persona se enfoque exclusivamente en la relación matrimonial, descuidando su crecimiento personal, su desarrollo de habilidades y sus intereses individuales. Esto puede llevar a una falta de equilibrio en la vida y una pérdida de identidad fuera de la relación.

Ausencia de rendición a la voluntad de Dios: La obsesión desmedida puede dificultar la capacidad de una persona para rendirse a la voluntad de Dios en la relación matrimonial. En lugar de confiar en Dios y buscar Su guía, la persona obsesionada puede tratar de controlar y manipular la relación según sus propios deseos.

Es importante que los cónyuges reconozcan y aborden cualquier obsesión desmedida en su matrimonio, buscando un equilibrio saludable en su relación con Dios, con ellos mismos y con su cónyuge. Esto implica confiar en Dios, cultivar una relación de respeto mutuo, establecer límites saludables y buscar un crecimiento personal y espiritual individual. Buscar asesoramiento pastoral o terapéutico puede ser útil para superar estos desafíos y construir un matrimonio basado en los principios bíblicos del amor, la confianza y la rendición a la voluntad de Dios.

Dependencia emocional extrema:

La dependencia emocional extrema en un matrimonio cristiano se refiere a una situación en la que una persona se vuelve excesivamente dependiente emocionalmente de su cónyuge, colocando su bienestar emocional y sentido de identidad en función de la relación. Esto puede crear desequilibrios y desafíos en el matrimonio, y contradecir los principios bíblicos de autonomía, amor desinteresado y confianza en Dios. Aquí tienes un resumen de lo que significa una dependencia emocional extrema en un matrimonio cristiano:

Necesidad constante de atención y validación: La persona dependiente busca de manera desesperada la atención y aprobación de su cónyuge para sentirse valiosa y segura emocionalmente. Puede depender en exceso de la opinión y el afecto de su pareja, sin buscar la aprobación y la identidad en Cristo.

Miedo a la separación o al abandono: La dependencia emocional extrema puede llevar a un temor intenso de perder a la pareja, lo que resulta en comportamientos de apego excesivo y una incapacidad para funcionar de manera independiente emocionalmente. Esto puede generar ansiedad y celos en la relación.

Sacrificio de la autonomía y necesidades personales: La persona dependiente puede descuidar sus propias necesidades, intereses y metas en función de complacer a su cónyuge. Esto puede conducir a una pérdida de identidad y falta de equilibrio en la vida personal.

Baja autoestima y falta de confianza en Dios: La dependencia emocional extrema a menudo se relaciona con una baja autoestima y una falta de confianza en la provisión y el amor de Dios. La persona dependiente puede basar su sentido de valía y felicidad en la relación matrimonial en lugar de buscar su identidad en Cristo.

Dificultad para establecer límites saludables: La dependencia emocional puede dificultar la capacidad de la persona

21

para establecer límites personales y mantener una relación equilibrada y respetuosa. Puede permitir el comportamiento abusivo o manipulador de su cónyuge y tener dificultades para defender sus propias necesidades y límites.

Es importante reconocer y abordar la dependencia emocional extrema en un matrimonio cristiano. Esto puede implicar buscar apoyo pastoral o terapéutico, desarrollar una relación más equilibrada con Dios y trabajar en el crecimiento personal y la confianza en sí mismo. Cultivar una relación basada en los principios bíblicos de amor, respeto mutuo y confianza en Dios puede ayudar a superar los desafíos de la dependencia emocional y construir un matrimonio más saludable y equilibrado.

Control y celos:

En un matrimonio cristiano, el control y los celos pueden ser comportamientos problemáticos que van en contra de los principios bíblicos de amor, confianza, respeto y consideración mutua. Estos comportamientos pueden causar tensión y dañar la relación en lugar de fortalecerla. Aquí hay un resumen de lo que significan el control y los celos en un matrimonio cristiano.

Control: El control en un matrimonio cristiano implica intentar ejercer poder y dominio sobre la pareja, dictando sus acciones, decisiones y relaciones. Esto puede manifestarse a través de la imposición de restricciones excesivas, la toma de decisiones unilaterales y la manipulación emocional. El control en un matrimonio cristiano contradice los principios bíblicos de amor desinteresado, respeto y libertad en Cristo.

Celos: Los celos en un matrimonio cristiano surgen de la inseguridad y el miedo a perder la atención o el amor de la pareja. Los celos pueden llevar a comportamientos posesivos, desconfianza constante, acusaciones infundadas y vigilancia excesiva. Estos comportamientos van en contra del llamado a confiar en Dios y confiar en la fidelidad y el compromiso mutuo dentro del matrimonio.

En un matrimonio cristiano, es esencial abordar y superar el control y los celos. Esto puede lograrse a través de la comunicación abierta y honesta, el cultivo de la confianza mutua, el fortalecimiento de la fe y la rendición a la voluntad de Dios. Los cónyuges deben recordar que el amor verdadero no busca controlar o ejercer poder sobre el otro, sino que se caracteriza por el respeto, la compasión, el apoyo y la libertad para crecer y ser individuos completos en Cristo.

Aislamiento social y comunidad:

El aislamiento social en un matrimonio cristiano se refiere a una situación en la que la pareja se distancia de la comunidad y se aleja de las interacciones sociales con otros creyentes. Esto puede suceder por diferentes razones, como la falta de conexión con una iglesia local, la falta de tiempo o prioridades desequilibradas. El aislamiento social puede tener efectos negativos en un matrimonio cristiano, ya que la comunidad desempeña un papel importante en el crecimiento espiritual, el apoyo emocional y el enriquecimiento de la relación. Aquí hay un resumen de lo que significa el aislamiento social y la comunidad en un matrimonio cristiano:

Aislamiento emocional y espiritual: El aislamiento social puede llevar a un distanciamiento emocional y espiritual entre los cónyuges. La falta de interacción con otros creyentes puede limitar las oportunidades de recibir apoyo, aliento y consejo en momentos de dificultad o crecimiento espiritual.

Falta de perspectiva y enseñanza bíblica: La comunidad cristiana proporciona un entorno en el que los cónyuges pueden aprender y crecer juntos en su fe. El aislamiento social puede privar a la pareja de la oportunidad de recibir enseñanza bíblica, ser desafiada en su fe y recibir una perspectiva más amplia sobre asuntos matrimoniales y espirituales.

Carencia de apoyo y amistades en la fe: La comunidad cristiana ofrece un lugar para establecer amistades sólidas con otras parejas creyentes. El aislamiento social puede resultar en la falta de apoyo y amistades en la fe, lo cual puede tener un impacto negativo en el matrimonio. La ausencia de relaciones significativas con otros creyentes puede limitar el crecimiento individual y el enriquecimiento mutuo dentro de la pareja.

Limitación en el servicio y el propósito compartido: La comunidad cristiana proporciona oportunidades para servir a los demás y vivir un propósito compartido. El aislamiento social puede hacer que la pareja se enfoque excesivamente en sí misma y se pierda la oportunidad de participar en el servicio y el ministerio dentro de la iglesia y la comunidad en general.

Es esencial reconocer la importancia de la comunidad en un matrimonio cristiano y buscar activamente una conexión significativa con otros creyentes. Participar en una iglesia local, un grupo de vida o actividades comunitarias puede brindar apoyo, fortaleza espiritual y enriquecimiento en la relación matrimonial. Al compartir la fe y la vida con otros creyentes, la pareja puede experimentar un crecimiento espiritual más profundo y fortalecer su matrimonio.

Restauración y sanidad:

La restauración y sanidad en un matrimonio cristiano se refieren al proceso de sanidad y renovación de una relación matrimonial que ha experimentado dificultades, conflictos o heridas. Esto implica buscar la intervención y guía de Dios para sanar las heridas emocionales, reconstruir la confianza y restaurar la armonía en el matrimonio. Aquí tienes un resumen de lo que significa la restauración y sanidad en un matrimonio cristiano:

Sanidad emocional y espiritual: La restauración y sanidad en un matrimonio cristiano implica abordar y sanar las heridas emocionales y espirituales que puedan haberse desarrollado en la relación. Esto implica enfrentar las emociones dolorosas, perdonar y ser perdonado, y buscar la sanidad a través del poder y la gracia de Dios.

Reconstrucción de la confianza: Cuando hay daño o ruptura en la confianza en el matrimonio, la restauración implica un proceso de reconstrucción de la confianza mutua. Esto se logra a través de la transparencia, la honestidad, el arrepentimiento sincero y la implementación de límites y compromisos saludables.

Reconciliación y perdón: La restauración y sanidad en un matrimonio cristiano requieren el proceso de reconciliación y perdón. Esto implica dejar de lado el resentimiento, liberar el pasado y trabajar hacia la reconciliación y la restauración de la relación en base al amor y la gracia de Dios.

Renovación de compromiso y propósito: La restauración y sanidad en un matrimonio cristiano también implican una renovación del compromiso y propósito matrimonial. Esto puede incluir redescubrir los propósitos de Dios para el matrimonio, establecer metas y sueños compartidos, y cultivar una relación de amor, respeto y apoyo mutuo.

Dependencia en Dios: La restauración y sanidad en un matrimonio cristiano no son solo un esfuerzo humano, sino que requieren una dependencia en Dios. Esto implica buscar Su guía, orar juntos como pareja, estudiar Su Palabra y confiar en Su poder para transformar y sanar la relación.

La restauración y sanidad en un matrimonio cristiano pueden llevar tiempo, paciencia y compromiso mutuo. Es importante buscar apoyo pastoral, consejería cristiana u otras herramientas y recursos que puedan brindar orientación y apoyo durante el proceso de restauración. Con la guía de Dios y el compromiso de ambos cónyuges, la restauración y sanidad pueden conducir a un matrimonio más fuerte, lleno de amor y centrado en Cristo.

Este capítulo también ofrece esperanza y orientación para aquellos que han experimentado un amor enfermo. Exploramos cómo buscar la sanidad y la restauración tanto en nuestras relaciones como en nuestra relación con Dios, a través del perdón, la rendición y la renovación de la mente. A lo largo del capítulo, se incluyen historias de personas que han experimentado un amor enfermo y han encontrado sanidad y restauración en sus vidas y fe en su caminar cristiano. El objetivo principal es proporcionar una guía basada en principios bíblicos para reconocer y superar los síntomas de un amor enfermo, y buscar la plenitud y el amor verdadero en nuestras relaciones y en nuestra relación con Dios.

Aquí les doy un pequeño guía basada en principios bíblicos para reconocer y superar los síntomas de un amor enfermo en el matrimonio.

Busca una relación con Dios en primer lugar: La base de cualquier relación saludable es una conexión sólida con Dios. Prioriza tu relación con Él y busca su guía en todas las áreas de tu vida, incluyendo tu relación de pareja.

Examina tus motivaciones y emociones: Examina tus propias motivaciones y emociones en la relación. Pregunta a Dios que te revele si tus acciones están motivadas por un amor verdadero y desinteresado, o si hay elementos de egoísmo, control o dependencia.

Establece límites saludables: Reconoce la importancia de establecer límites saludables tanto para ti como para tu pareja. Esto implica respetar la individualidad de cada uno, tener tiempo y espacio para actividades personales y mantener una vida equilibrada.

Practica el perdón y la gracia: Aprende a perdonar a tu pareja y a ti mismo/a por los errores y heridas del pasado. La gracia de Dios es un modelo para nosotros, y a medida que experimentamos su perdón, podemos aprender a perdonar y mostrar gracia hacia nuestra pareja.

Cultiva una relación basada en el amor ágape: El amor ágape es el amor incondicional y sacrificial que Dios nos muestra.

Busca amar a tu pareja de esta manera, buscando su bienestar y mostrando compasión y misericordia.

Comunícate de manera abierta y honesta: Cultiva una comunicación abierta y honesta con tu pareja. Expresa tus necesidades y preocupaciones de manera respetuosa, y escucha activamente a tu pareja sin juzgar ni criticar.

Busca sabiduría y consejo: No tengas miedo de buscar sabiduría y consejo en tu caminar conyugal. Puedes acudir a líderes espirituales, mentores o consejeros cristianos que puedan ofrecerte orientación basada en principios bíblicos.

Recuerda que el proceso de reconocer y superar los síntomas de un amor enfermo puede llevar tiempo y esfuerzo. Confía en Dios y permite que su Espíritu Santo te guíe en el proceso de sanidad y transformación.

Aquí tienes algunos ejemplos de matrimonios que han experimentado un amor enfermo y han encontrado sanidad y restauración en sus vidas a través de una relación con Dios:

Ricardo y Yolanda:

Ricardo y Yolanda estaban atrapados en una dinámica de celos y control mutuo. Ambos sentían una constante desconfianza y sospechas infundadas. Sin embargo, a medida que buscaron una relación más profunda con Dios y se sumergieron en su Palabra, comenzaron a comprender el amor incondicional que Dios les tenía. Aprendieron a confiar en Él y a perdonarse mutuamente, dejando de lado los celos y control. Su matrimonio experimentó una transformación, y ahora se apoyan mutuamente en amor y confianza.

Carlos y Laura:

Carlos y Laura tenían una relación marcada por la dependencia emocional extrema. Laura buscaba constantemente la validación y atención de Carlos, mientras que Carlos sentía una presión constante para satisfacer las necesidades emocionales de Laura. Sin embargo, a medida que ambos se acercaron a Dios y buscaron su dirección, comenzaron a comprender su identidad en Cristo y encontraron satisfacción y plenitud en Él. Aprendieron a depender de Dios en primer lugar y a amarse y apoyarse mutuamente de manera saludable, sin agobios ni demandas excesivas.

Andrés y Marta:

Andrés y Marta experimentaron una falta de límites personales en su matrimonio. Ambos sacrificaron sus propios intereses y pasatiempos individuales para satisfacer las demandas del otro, lo que llevó a una pérdida de identidad personal y a un desequilibrio en la relación. Al buscar una relación más profunda con Dios, aprendieron a establecer límites saludables y a valorar sus propias necesidades y deseos. Descubrieron que, al cuidar de sí mismos y de su relación con Dios, pudieron fortalecer su matrimonio y vivir una vida equilibrada y plena.

Estos son solo algunos ejemplos de cómo una relación con Dios puede traer sanidad y restauración a matrimonios que han experimentado un amor enfermo. Cada historia es única, pero todas comparten el poder transformador del amor y la gracia de Dios en nuestras vidas.

Los primeros síntomas de un amor enfermo en un matrimonio cristiano son señales de advertencia que indican la presencia de desequilibrios y disfunciones en la relación. Estos síntomas pueden manifestarse de diferentes maneras, pero en general, reflejan la falta de respeto, comunicación deficiente, falta de compromiso y pérdida de la intimidad emocional y espiritual. Algunos de los primeros síntomas comunes de un amor enfermo en un matrimonio cristiano incluyen la falta de interés o apoyo en las metas y sueños del cónyuge, la aparición de críticas constantes y negativas, la falta de comunicación abierta y honesta, el distanciamiento emocional y la falta de intimidad física.

Estos síntomas pueden llevar a un deterioro progresivo de la relación y generar un ambiente de tensión, desconfianza y dolor emocional. Es importante reconocer estos síntomas a tiempo para poder abordarlos y buscar soluciones que restauren la salud y la armonía en el matrimonio. La clave para superar los primeros síntomas de un amor enfermo en un matrimonio cristiano radica en la disposición de ambas partes de comprometerse con el cambio y buscar la guía y la sabiduría de Dios. Esto implica trabajar en la comunicación efectiva, practicar el perdón y la gracia, y fortalecer la conexión emocional y espiritual. Con la voluntad de enfrentar estos síntomas de frente y el esfuerzo por construir una relación basada en los principios cristianos de amor, respeto y compromiso, es posible sanar y restaurar un matrimonio que ha sido afectado por un amor enfermo.

En última instancia, el reconocimiento y la acción temprana ante los primeros síntomas de un amor enfermo en un matrimonio cristiano pueden allanar el camino hacia la sanidad, la reconciliación y el crecimiento mutuo en el amor verdadero y duradero que Dios desea para las parejas.

CAPITULO CUATRO

LA ILUCION DEL AFECTO

El sol brillaba a través de las cortinas, iluminando suavemente la habitación mientras María se sentaba en silencio junto a la ventana. Su rostro reflejaba una mezcla de confusión, tristeza y determinación. A lo largo de su matrimonio, había luchado con la ilusión del afecto, una falsa imagen de felicidad y conexión que había construido en su mente.

Había creído que la clave para un matrimonio exitoso era la búsqueda constante del afecto de su esposo, Juan. Se había aferrado a cada palabra dulce, cada gesto cariñoso, y había buscado desesperadamente su aprobación en todo momento. Pero, a medida que pasaban los años, esa ilusión comenzaba a desvanecerse. Había llegado el momento de enfrentar la realidad y cuestionar la verdadera naturaleza de su relación. María sabía en lo más profundo de su corazón que el verdadero amor y la verdadera conexión no se basaban en gestos superficiales o palabras vacías. Había algo más profundo, más auténtico, que había estado buscando sin darse cuenta.

Tomó una profunda inspiración y abrió su Biblia, buscando respuestas en la Palabra de Dios. A medida que sus ojos recorrían las páginas, encontró consuelo en las palabras de 1 Corintios 13:4-7: "El amor es paciente, es bondadoso. El amor no es envidioso ni jactancioso ni orgulloso. No se comporta con rudeza, no es egoísta, no se enoja fácilmente, no guarda rencor. El amor no se deleita en la maldad, sino que se regocija con la verdad. Todo lo disculpa, todo lo cree, todo lo espera, todo lo soporta". Esas palabras resonaron en su corazón como un recordatorio de la verdadera esencia del amor, un amor que va más allá de las emociones superficiales y los gestos vacíos. María comprendió que la ilusión del afecto que había perseguido había estado limitando su comprensión del amor verdadero y profundo que Dios quería que experimentara en su matrimonio.

Se dio cuenta de que el verdadero afecto se basaba en la voluntad de amar y sacrificarse por el bienestar del otro. No era solo una búsqueda egoísta de satisfacción personal, sino un compromiso constante de cuidar, comprender y perdonar. La ilusión del afecto se estaba desmoronando y, en su lugar, surgió una profunda convicción de que debía buscar la voluntad de Dios y permitir que Su amor transformara su matrimonio. Con renovada determinación, María cerró la Biblia y se levantó de su asiento. Sabía que el camino por delante no sería fácil, pero estaba lista para enfrentar la realidad, deshacerse de las ilusiones y construir un matrimonio basado en la verdad y el amor auténtico. "La Ilusión del Afecto" marcó un punto de inflexión en la vida de María y Juan. A medida que se embarcaban en un viaje de descubrimiento y crecimiento espiritual

Aquí tienes siete puntos que desarrollan la ilusión del afecto en un matrimonio cristiano:

Expectativas poco realistas:

La ilusión del afecto puede surgir cuando se establecen expectativas poco realistas sobre cómo debería ser el matrimonio y la relación conyugal. Se puede creer erróneamente que el amor y la conexión deben ser perfectos y constantes, sin tener en cuenta las realidades y desafíos de la vida diaria.

Dependencia emocional excesiva:

La ilusión del afecto puede surgir cuando una persona se vuelve dependiente emocionalmente de su cónyuge, buscando constantemente su validación, aprobación y satisfacción emocional. Esta dependencia extrema puede conducir a la decepción y la insatisfacción cuando las necesidades emocionales no se satisfacen de manera constante.

Enfoque en gestos superficiales:

La ilusión del afecto puede llevar a enfocarse en gestos superficiales, como regalos, cumplidos y demostraciones públicas de afecto, como medida del amor y la conexión en el matrimonio. Esto puede crear una falsa sensación de felicidad y dejar de lado la importancia de construir una relación sólida basada en el compromiso y la voluntad de amar.

Comparación con otras parejas:

La ilusión del afecto puede desarrollarse cuando una pareja cristiana se compara constantemente con otras parejas y sus aparentes demostraciones de amor y felicidad. Esta comparación puede generar inseguridad y una búsqueda insaciable de la perfección en la relación, en lugar de centrarse en el crecimiento y la conexión genuina entre los cónyuges.

Negación de los conflictos y las dificultades:

La ilusión del afecto puede llevar a negar o ignorar los conflictos y las dificultades en el matrimonio. Se puede creer que, si realmente hay amor, no debería haber conflictos o problemas, lo cual es una expectativa poco realista. Esta negación puede evitar que se aborden los problemas y se busque la verdadera sanidad y restauración en la relación.

Búsqueda constante de emociones intensas:

La ilusión del afecto puede llevar a una búsqueda constante de emociones intensas y apasionadas en el matrimonio, sin reconocer la importancia de la estabilidad, el compromiso y la construcción de una relación sólida a largo plazo. Esto puede conducir a una insatisfacción crónica y a la creencia errónea de que el amor debe ser siempre emocionante y apasionado.

Falta de fundamento espiritual:

La ilusión del afecto puede surgir cuando una pareja cristiana no tiene un fundamento espiritual sólido en su matrimonio. Si la relación no se basa en la fe en Dios y en la aplicación de los principios bíblicos del amor y el perdón, se puede caer en la ilusión de que el afecto humano es suficiente para sustentar una relación duradera y significativa. Es importante reconocer la ilusión del afecto y buscar la verdad y la sabiduría en la Palabra de Dios. El amor verdadero y duradero en un matrimonio cristiano se basa en el compromiso, el sacrificio, la voluntad de perdonar y la búsqueda de la voluntad de Dios en la relación.

Les voy a dar unos ejemplos de parejas que viven bajo los afectos de la ilusión en sus matrimonios. Es importante tener en cuenta que los ejemplos son ficticios y no representan casos reales de matrimonios cristianos. Sin embargo, estos ejemplos ilustran cómo la ilusión del afecto puede afectar a un matrimonio cristiano:

Juan y María: Juan y María están constantemente buscando la perfección en su matrimonio. A pesar de tener una relación estable y amorosa, se sienten insatisfechos porque creen que deben vivir un amor apasionado y emocionante todo el tiempo. Esta ilusión los lleva a compararse con otras parejas y a sentir que su matrimonio no está a la altura.

David y Laura: David y Laura han construido su relación en torno a gestos superficiales y demostraciones públicas de afecto. Siempre están buscando la aprobación y validación de otros, creyendo que eso es lo que define su amor y felicidad. Sin embargo, descuidan la comunicación profunda y la construcción de una conexión basada en la voluntad de amar y sacrificarse el uno por el otro.

Carlos y Ana: Carlos y Ana se han vuelto dependientes emocionalmente el uno del otro. Ana busca constantemente la atención y validación de Carlos, y él se siente responsable de satisfacer todas sus necesidades emocionales. Esta dependencia extrema crea una dinámica desequilibrada en la relación, donde ambos se sienten inseguros y ansiosos cuando no reciben la atención que desean.

Pedro y Claudia: Pedro y Claudia evitan enfrentar los conflictos y problemas en su matrimonio. Prefieren mantener una fachada de felicidad y armonía en lugar de abordar los problemas subyacentes. Esta ilusión de que el amor verdadero no debe tener problemas les impide crecer y resolver las dificultades que surgen en su relación.

La Ilusión del Afecto en un matrimonio cristiano es un tema que aborda las falsas percepciones y expectativas sobre el amor y la conexión emocional en la relación de pareja. Se refiere a la idea de que el afecto superficial o ilusorio puede suplir las necesidades más profundas de intimidad y compromiso. Es común que las parejas caigan en la trampa de creer que la pasión y la emoción romántica son suficientes para construir un matrimonio sólido y duradero. Sin embargo, con el tiempo, estas ilusiones se desvanecen y pueden dejar a las parejas desilusionadas, frustradas y emocionalmente desconectadas. La solución a la Ilusión del Afecto en un matrimonio, radica en cultivar una base sólida de amor verdadero, compromiso y comunicación auténtica. Esto implica profundizar en la comprensión de las necesidades emocionales y espirituales del cónyuge, practicar la empatía y la compasión, y trabajar juntos en el crecimiento y la madurez individual y marital.

Es esencial recordar que el verdadero amor se basa en la voluntad de sacrificio y servicio mutuo, guiado por los principios y valores cristianos. Esto implica renunciar a las expectativas egoístas y centrarse en construir una relación basada en la fe, el respeto y el compromiso duradero. Al enfrentar y superar la Ilusión del Afecto, las parejas pueden experimentar una relación matrimonial más profunda y significativa. A través de la gracia de Dios y el esfuerzo mutuo, es posible construir un amor auténtico y perdurable, que trascienda las ilusiones superficiales y sea una fuente de bendición y crecimiento en el matrimonio cristiano.

Estos ejemplos ficticios resaltan cómo la ilusión del afecto puede afectar negativamente a un matrimonio cristiano, distorsionando la percepción del amor y la conexión genuina. Es importante recordar que cada matrimonio es único, y si bien es posible que las parejas experimenten desafíos y dificultades, también hay oportunidades para crecer, aprender y buscar la voluntad de Dios en la relación.

CAPITULO CINCO

UN AMOR QUE DUELE

"Un amor que duele" en un matrimonio cristiano se refiere a una relación en la que hay dolor emocional, heridas y sufrimiento presentes. Aunque el matrimonio es diseñado para ser un vínculo de amor y compañerismo, hay situaciones en las que el amor puede volverse doloroso y causar sufrimiento. Este tipo de amor doloroso puede manifestarse de diversas formas en un matrimonio cristiano. Puede ser resultado de conflictos frecuentes, falta de comunicación, falta de respeto, traiciones, abuso emocional o físico, adicciones, entre otros desafíos y problemas que puedan surgir en la relación.

En un matrimonio, un amor que duele puede ser especialmente doloroso, ya que existe una expectativa de que la relación esté fundamentada en principios bíblicos de amor, perdón y respeto mutuo. Cuando estos principios no se cumplen, puede haber un sentimiento de desilusión, traición y dolor profundo. Sin embargo, es importante tener en cuenta que un amor que duele no es lo que Dios desea para los matrimonios cristianos. Dios quiere que los cónyuges experimenten un amor sano, basado en el compromiso, la compasión, la paciencia y el respeto mutuo. El dolor y el sufrimiento en el matrimonio son señales de que algo no está funcionando correctamente y que se necesita atención, sanidad y restauración.

Superar un amor que duele en un matrimonio cristiano implica reconocer las heridas, buscar ayuda profesional y espiritual, y estar dispuestos a trabajar juntos para sanar y restaurar la relación. Esto puede incluir el perdón, la comunicación abierta, el establecimiento de límites saludables, la rendición de cuentas y el compromiso de buscar la voluntad de Dios en la relación.

A través de la fe, la oración y el apoyo de la comunidad cristiana, un matrimonio puede encontrar la sanidad y la restauración necesarias para transformar un amor doloroso en un amor redentor, lleno de compasión, gracia y crecimiento mutuo.

Aquí tienes siete puntos sobre un amor que duele en un matrimonio:

Dolor emocional: Un amor que duele en un matrimonio cristiano implica experimentar dolor emocional y sufrimiento debido a conflictos, desilusiones, traiciones u otros problemas en la relación.

Abuso emocional o verbal: El amor que duele deja heridas profundas en el corazón y en la relación. El abuso emocional o verbal, como los insultos, la humillación o la manipulación, puede causar un dolor profundo y dañar la autoestima de los cónyuges.

Falta de paz y alegría: En un matrimonio donde el amor duele, la paz y la alegría son escasas. En lugar de experimentar la paz que sobrepasa todo entendimiento y la alegría que viene de la comunión con Dios y el cónyuge, hay angustia y tristeza constante.

Separación espiritual: Un amor que duele puede causar una separación espiritual entre los cónyuges. En lugar de fortalecer su relación con Dios y ayudarse mutuamente a crecer en la fe, se produce una desconexión espiritual que afecta la intimidad y la conexión profunda.

Falta de perdón: En un matrimonio donde el amor duele, el perdón puede ser difícil de encontrar. Las heridas acumuladas y la falta de reconciliación pueden generar amargura y rencor, impidiendo el flujo del amor y la restauración en la relación.

Desgaste emocional: Un amor que duele puede agotar emocionalmente a los cónyuges. La constante tensión, los conflictos y la falta de apoyo emocional pueden llevar a la fatiga y al agotamiento, debilitando aún más la relación.

Ausencia de crecimiento y propósito: En un matrimonio donde el amor duele, la falta de crecimiento y propósito conjunto puede ser evidente. En lugar de trabajar juntos hacia metas comunes y apoyarse mutuamente en su crecimiento personal y espiritual, los cónyuges pueden sentirse estancados y desorientados.

Desconfianza: La desconfianza mutua o la falta de transparencia pueden generar un ambiente doloroso en el matrimonio. La falta de confianza puede surgir debido a secretos, mentiras o experiencias pasadas.

Falta de compromiso: Si uno o ambos cónyuges muestran falta de compromiso hacia el matrimonio y no están dispuestos a trabajar en la relación, puede provocar dolor y desesperanza en la pareja.

Infidelidad: La infidelidad puede causar un dolor intenso en un matrimonio. La falta de fidelidad a los votos matrimoniales puede resultar en una profunda herida emocional y una pérdida de confianza.

Falta de comunicación: Si hay una falta de comunicación efectiva y abierta entre los cónyuges, puede causar dolor emocional y distanciamiento en el matrimonio.

Falta de intimidad física y emocional: Si la intimidad física y emocional se ve afectada o es inexistente en el matrimonio, puede causar dolor y frustración en ambos cónyuges.

Es importante tener en cuenta que cada situación es única y que el dolor en un matrimonio cristiano puede tener diferentes manifestaciones. Si estás experimentando dolor en tu matrimonio, es recomendable buscar orientación y apoyo pastoral para abordar los problemas y buscar la restauración en tu relación. Estos puntos reflejan cómo un amor que duele en un matrimonio, puede afectar negativamente la relación y el bienestar emocional y espiritual de los cónyuges. Sin embargo, a través de la búsqueda de ayuda, el compromiso de trabajar en la relación y el poder transformador del amor y la gracia de Dios, la sanidad y la restauración pueden tener lugar, permitiendo que el amor herido sea sanado y renovado.

Sanando las Heridas de un Amor que Duele

El sol brillaba en lo alto mientras Sara se sentaba en el corredor de su casa, contemplando el paisaje sereno que se extendía frente a ella. Sin embargo, en su corazón, reinaba una tormenta interna. Su matrimonio, que alguna vez fue un refugio de amor y seguridad, se había transformado en un campo de batalla emocional. "Un Amor que Duele" resonaba en su mente mientras recordaba las palabras hirientes, los gestos fríos y los momentos de soledad que habían marcado los últimos años de su vida matrimonial. El dolor era tan intenso que a veces sentía que su corazón estaba desgarrado en pedazos.

En el transcurso de su matrimonio, Sara había aprendido que el amor no siempre era fácil ni perfecto. Había descubierto que incluso en un matrimonio cristiano, el dolor y la herida podían infiltrarse y romper los cimientos del amor y la confianza. Sin embargo, a pesar del dolor que sentía, Sara no estaba dispuesta a rendirse. Su fe en Dios y en el poder de la sanidad y la restauración la impulsaba a buscar una salida de ese ciclo de dolor y sufrimiento. Sabía que había un camino hacia su milagro, pero también entendía que no sería fácil. Con lágrimas en los ojos, Sara cerró los ojos y oró fervientemente, buscando la guía y la fortaleza divina para enfrentar las heridas de su matrimonio. Recordó las palabras de 1 Pedro 5:7: "Echen toda su ansiedad sobre él, porque él cuida de ustedes". Confiando en que Dios escuchaba sus oraciones y estaba con ella en cada paso del camino, decidió dar el primer paso hacia la sanidad interna.

"Un Amor que Duele" marcaba un punto de inflexión en la vida de Sara y su esposo. Era el comienzo de un viaje de sanidad, donde buscarían la ayuda y la guía de Dios, así como la sabiduría de consejeros matrimoniales cristianos, para confrontar y sanar las heridas que habían dejado marcas en su relación. Aunque no había garantías de que el camino hacia la sanidad fuera fácil, Sara estaba decidida a enfrentar las heridas de su matrimonio con valentía y fe. Sabía que solo a través de la humildad, el perdón y el amor sacrificial podrían encontrar la sanidad y la restauración que anhelaban. Esto presentaba una oportunidad para Sara y su esposo de enfrentar las heridas de su amor con valentía, confiando en que Dios podía transformar incluso el dolor más profundo en algo hermoso y redentor. Era el comienzo de un nuevo capítulo en su matrimonio, donde el amor verdadero se alzaría por encima del dolor, y la sanidad comenzaría a tejerse en los lugares más rotos de sus corazones.

Para aquel matrimonio cristiano que está viviendo bajo los rasgos de un amor doloroso, quiero compartirles una palabra de esperanza:

Queridos hermanos y hermanas en Cristo, aunque estén atravesando momentos difíciles y experimentando un amor que duele, quiero recordarles que nuestro Dios es un Dios de restauración y sanidad. Él es capaz de obrar milagros incluso en las situaciones más difíciles. Tengan esperanza en que el amor de Dios puede sanar las heridas más profundas y transformar su matrimonio. Su amor es paciente, compasivo y poderoso para romper las cadenas del sufrimiento y la desesperanza. Recuerden que Dios es el centro de su matrimonio y que su amor y gracia son inagotables. Busquen su guía y fortaleza en la oración y la lectura de su Palabra. Permítanle que les enseñe a perdonar, a amar incondicionalmente y a buscar la reconciliación.

Confíen en que Dios tiene un propósito para su matrimonio y que incluso en medio del dolor, Él puede usarlo para su bien y su gloria. No se rindan ante la adversidad, sino aférrense a la esperanza que solo puede encontrarse en Jesús. Busquen apoyo en su comunidad cristiana, ya sea a través de consejería matrimonial, grupos de apoyo o amigos creyentes que puedan caminar junto a ustedes en este proceso de sanidad. Recuerden que Dios está con ustedes en cada paso del camino. Él conoce su dolor, entiende sus luchas y está dispuesto a caminar junto a ustedes para restaurar su amor y renovar su matrimonio.

Mantengan su fe en Dios, y confíen en su capacidad de redimir y restaurar. No permitan que el dolor les robe la esperanza, sino permítanle a Dios que les muestre su amor sanador y transformador. ¡Que la esperanza en Cristo los sostenga y guíe mientras buscan la restauración de su matrimonio! En última instancia, "Un Amor Que Duele" es un llamado a la reflexión, a la búsqueda de soluciones y a la fe en el poder de Dios para transformar y sanar las relaciones matrimoniales. A través de un compromiso mutuo, la dependencia en Dios y el esfuerzo continuo, es posible experimentar un amor que trascienda el dolor y se convierta en una fuente de bendición, crecimiento y felicidad en el matrimonio cristiano.

CAPITULO SEIS

ENTRE LA PASION Y EL TORMENTO

María se encontraba en una encrucijada emocional. En su matrimonio, experimentaba una profunda lucha interna entre la pasión que alguna vez ardió en su corazón y el tormento que ahora la consumía. La Pasión y el Tormento resonaba en su mente mientras reflexionaba sobre los altibajos de su relación matrimonial. Recordaba los momentos de felicidad y complicidad que habían compartido, cuando su amor estaba en pleno florecimiento. Sin embargo, también había vivido momentos de dolor, desilusión y desencuentros que habían dejado una huella profunda en su alma. La pasión, que una vez los unió en un amor apasionado y desbordante, ahora se encontraba enfrentada al tormento de las luchas internas, las heridas no sanadas y los desafíos cotidianos. María sabía que este dilema no era exclusivo de su matrimonio, sino que muchos otros también se encontraban en esa misma encrucijada.

En su búsqueda por encontrar respuestas y claridad, María se refugiaba en la Palabra de Dios y en la oración. Sabía que solo a través de la guía divina podría encontrar la manera de reconciliar la pasión con el tormento y restaurar la armonía en su matrimonio. La Pasión y el Tormento marcaba un punto crítico en la vida de María y su esposo. Representaba la oportunidad de explorar las causas del tormento y descubrir cómo revivir la pasión que los había unido en primer lugar. Era el momento de confrontar las heridas, los temores y las expectativas no cumplidas para abrir paso a una reconciliación profunda y duradera.

María sabía que no habría respuestas fáciles ni soluciones instantáneas. Reconocía que la restauración requeriría trabajo, humildad y la guía amorosa de Dios. Estaba dispuesta a embarcarse en este viaje de autoexploración y crecimiento personal, confiando en que el amor de Dios podría vencer cualquier tormento y revivir la pasión que aún latía en su corazón. Era el comienzo de un camino hacia la reconciliación y la restauración, donde María y su esposo enfrentarían el tormento y nutrirían la pasión a través del perdón, la comunicación abierta y el compromiso mutuo. Con valentía y fe en sus corazones, María y su esposo se preparaban para enfrentar la lucha entre la pasión y el tormento, confiando en que la fidelidad de Dios les guiaría hacia un amor renovado y una relación fortalecida.

En el matrimonio, la pasión es un don precioso que Dios ha otorgado para fortalecer la unión entre esposos. Es un fuego ardiente que enciende la intimidad, la conexión emocional y la expresión física del amor. Sin embargo, en ocasiones, esa pasión puede volverse dolorosa y desafiante, trayendo consigo una serie de luchas y pruebas. El Dolor de una Pasión en el Matrimonio, captura la complejidad de este tema. No es un dolor causado por la pasión misma, sino por las tensiones y desafíos que pueden surgir cuando intentamos comprender, equilibrar y cultivar adecuadamente este don divino.

La pasión en un matrimonio se desarrolla a través de diversos factores y se puede destruir por varias razones. A continuación, exploraremos ambos aspectos:

Desarrollo de la pasión en un matrimonio cristiano: Comunicación y conexión emocional: Una comunicación abierta y honesta es esencial para construir la pasión en un matrimonio cristiano. Compartir los sentimientos, las esperanzas y los sueños, así como escuchar y entender las necesidades del cónyuge, fortalece la conexión emocional y promueve la intimidad.

Intimidad espiritual: La búsqueda conjunta de una relación más profunda con Dios puede avivar la pasión en un matrimonio cristiano. Orar juntos, estudiar la Palabra de Dios, asistir a la iglesia y participar en actividades ministeriales en pareja ayudan a fortalecer la conexión y a experimentar una unidad en el espíritu.

Cuidado y romance: El cuidado mutuo y el romance son fundamentales para mantener viva la pasión en un matrimonio. Pequeños gestos de amor, citas regulares, expresiones de afecto y el compromiso de mantener la llama del romance encendida contribuyen a mantener viva la pasión. (Lean mí el libro Claves del Amor)

Sexualidad saludable: La intimidad física es un aspecto importante de la pasión en el matrimonio. Un enfoque equilibrado y saludable hacia la sexualidad, basado en el respeto mutuo, el consentimiento y la conexión emocional, puede fortalecer la intimidad y la pasión en la relación.

Ahora miremos Los factores que pueden destruir la pasión en un matrimonio cristiano:

Falta de comunicación: La falta de comunicación o una comunicación deficiente puede erosionar la pasión en un matrimonio. La falta de expresión de los deseos, necesidades y preocupaciones puede generar distanciamiento emocional y afectar la intimidad en la relación.

Conflictos no resueltos: Los conflictos sin resolver pueden socavar la pasión en un matrimonio. La falta de resolución y el resentimiento acumulado pueden generar un ambiente de tensión y desconexión emocional, afectando la pasión y la intimidad.

Rutina y falta de variedad: La rutina y la falta de variedad en la relación pueden llevar al estancamiento y la disminución de la pasión. La falta de esfuerzo en buscar nuevas experiencias, planificar sorpresas y mantener la chispa del romance puede apagar la pasión en el matrimonio.

Falta de intimidad emocional y espiritual: La falta de conexión emocional y espiritual puede llevar al distanciamiento en un matrimonio. La ausencia de un compromiso conjunto de crecimiento espiritual y de apoyo mutuo en las luchas y desafíos de la vida puede debilitar la pasión y la unión en la relación.

Heridas emocionales y falta de perdón: Las heridas emocionales no sanadas y la falta de perdón pueden destruir la pasión en un matrimonio. El resentimiento, la falta de confianza y el dolor acumulado pueden generar un ambiente tóxico que dificulta el florecimiento de la pasión y la intimidad.

Ahora miremos los síntomas del tormento. Los síntomas más comunes del tormento dentro de un matrimonio pueden variar según las circunstancias específicas de cada pareja, pero aquí hay algunos ejemplos comunes:

Constantes conflictos y discusiones: El tormento puede manifestarse a través de una serie de conflictos frecuentes y discusiones intensas en el matrimonio. Estas peleas pueden ser sobre diferentes temas, pero son recurrentes y generan un ambiente tenso y estresante si no sé sana.

Falta de comunicación efectiva: El tormento puede dificultar la comunicación efectiva entre los cónyuges. Pueden surgir dificultades para expresar las necesidades y los sentimientos, y para escuchar y comprender las perspectivas del otro. Esto puede generar malentendidos y distanciamiento emocional.

Desconfianza y falta de intimidad emocional: El tormento puede erosionar la confianza en el matrimonio, lo que lleva a una falta de intimidad emocional. Los cónyuges pueden sentirse inseguros, guardarse secretos o dudar de las intenciones y acciones del otro, lo que dificulta la conexión profunda y el apoyo mutuo.

Falta de apoyo y comprensión: El tormento puede llevar a una falta de apoyo y comprensión mutua en el matrimonio. Los cónyuges pueden sentir que no son comprendidos ni respaldados en sus desafíos y dificultades, lo que aumenta la sensación de soledad y frustración.

Resentimiento y amargura: El tormento prolongado puede generar resentimiento y amargura en el matrimonio. Las heridas no sanadas, los desacuerdos persistentes y la falta de perdón pueden alimentar sentimientos negativos hacia el cónyuge, dificultando la reconciliación y la restauración.

Falta de satisfacción y alegría en la relación: El tormento puede robar la satisfacción y la alegría en el matrimonio. Los cónyuges pueden sentirse atrapados en un ciclo de dolor y desilusión, y la felicidad en la relación puede verse disminuida.

Es importante tener en cuenta que estos síntomas no son definitivos y pueden variar en cada situación. Además, cada matrimonio enfrenta desafíos únicos. Si una pareja está experimentando estos síntomas, es importante buscar ayuda y apoyo, tanto en la comunidad cristiana como a través de profesionales de la salud mental y consejeros matrimoniales.

Miremos la historia de Juan y María:

Juan y María son un matrimonio cristiano que ha estado enfrentando desafíos en su relación. En los primeros años de su matrimonio, experimentaron una fuerte pasión y conexión emocional. Sin embargo, con el tiempo, comenzaron a surgir conflictos constantes y discusiones intensas que afectaron su intimidad y felicidad en el matrimonio. El tormento se había instalado en su relación, y ambos se sentían frustrados y distantes el uno del otro. La comunicación efectiva era un desafío, y las heridas emocionales se habían acumulado, generando un ambiente de desconfianza y falta de apoyo mutuo. La pasión que antes los unía parecía haberse desvanecido, y el tormento había tomado su lugar. Sin embargo, Juan y María decidieron buscar ayuda y buscar una solución positiva para su matrimonio. Reconocieron que necesitaban hacer cambios significativos y restaurar su amor y conexión. Aquí está el camino que eligieron seguir:

Buscar consejería matrimonial: Juan y María buscaron la guía de un consejero matrimonial cristiano que los ayudara a abordar sus desafíos y trabajar en la reconciliación. A través de sesiones de terapia, aprendieron a comunicarse de manera más efectiva, a comprender las necesidades y perspectivas del otro, y a sanar las heridas emocionales.

Fortalecer su intimidad espiritual: Juan y María se comprometieron a fortalecer su intimidad espiritual en el matrimonio. Oraron juntos, estudiaron la Palabra de Dios y buscaron una mayor conexión con Dios individualmente y como pareja. Esto les ayudó a encontrar consuelo, sabiduría y dirección en medio de sus desafíos.

Practicar el perdón y la gracia: Ambos se dieron cuenta de la importancia del perdón y la gracia en su relación. Aprendieron a perdonarse mutuamente por las heridas pasadas y a mostrar gracia en lugar de juzgarse el uno al otro. Esto les permitió liberar resentimientos y abrir el camino hacia la reconciliación y la restauración.

Cultivar momentos de romance y conexión: Juan y María se comprometieron a cultivar momentos de romance y conexión en su matrimonio. Planificaron citas regulares, dedicaron tiempo para actividades compartidas que disfrutaban y se esforzaron en expresar su amor y aprecio el uno por el otro. Esto les ayudó a reavivar la pasión y fortalecer la conexión emocional.

Buscar apoyo en la comunidad cristiana: Juan y María buscaron apoyo en su comunidad cristiana. Participaron en grupos de matrimonios, se rodearon de parejas cristianas sabias y compartieron sus desafíos y alegrías con otros creyentes. Esto les brindó aliento, consejo y un sentido de pertenencia a una comunidad de apoyo.

A través de su compromiso, perseverancia y la guía de Dios, Juan y María lograron superar los desafíos de la pasión y el tormento en su matrimonio. A medida que trabajaron en su comunicación, sanaron las heridas y cultivaron la conexión emocional y espiritual, experimentaron una renovación en su amor y una restauración en su relación.

En un matrimonio cristiano, la pasión y el tormento pueden ser fuerzas poderosas que impactan profundamente la relación. La pasión, cuando se cultiva y se vive de manera saludable, fortalece la intimidad emocional, espiritual y física entre los cónyuges. Sin embargo, el tormento puede surgir cuando los desafíos no resueltos, la falta de comunicación, la falta de perdón y otras dificultades erosionan la conexión y generan dolor y sufrimiento. Es importante reconocer que el tormento no es el diseño de Dios para el matrimonio. Dios desea que los cónyuges experimenten un amor pleno, gozoso y lleno de paz. Cuando la pasión y el tormento coexisten, es esencial buscar soluciones positivas y sanadoras.

La búsqueda de ayuda y consejería matrimonial cristiana puede proporcionar una guía valiosa para abordar los desafíos y encontrar formas de sanar y restaurar la relación. La comunicación efectiva, la búsqueda de intimidad espiritual, la práctica del perdón y la gracia, y la cultivación de momentos de romance y conexión son herramientas importantes en este proceso. La comunidad cristiana también puede desempeñar un papel crucial, brindando apoyo, aliento y un ambiente de comprensión y oración. Al compartir sus luchas y alegrías con otros creyentes, las parejas pueden encontrar un sentido de pertenencia y nutrir su fe. En última instancia, el camino hacia la superación de la pasión y el tormento en un matrimonio cristiano requiere compromiso, perseverancia y una dependencia en Dios. Con su guía y ayuda, los cónyuges pueden experimentar una renovación en su amor, una sanidad profunda y una restauración en su relación, encontrando así la plenitud y la bendición que Dios desea para ellos.

CAPITULO SIETE

LA MASACARA DEL CARIÑO

El sol se filtraba suavemente por las cortinas, iluminando la habitación mientras Sara se miraba en el espejo. Era un día más en su matrimonio cristiano, pero había algo que la perturbaba. A simple vista, su relación con Juan parecía perfecta ante los ojos de los demás: una pareja comprometida en su iglesia, servidores diligentes y padres amorosos. Sin embargo, Sara sabía que detrás de la máscara del cariño que ambos mostraban en público, se escondían heridas y conflictos profundos. A medida que se observaba en el espejo, Sara reflexionaba sobre la dualidad de su matrimonio. Por un lado, había momentos de amor y conexión genuinos, pero, por otro lado, había una barrera invisible que les impedía alcanzar una verdadera intimidad emocional. La máscara del cariño ocultaba las inseguridades, los resentimientos no resueltos y las expectativas no cumplidas.

Era hora de confrontar esa máscara y explorar lo que realmente se escondía detrás. Sara sabía que el camino hacia la sanidad y la restauración en su matrimonio cristiano requeriría valentía y vulnerabilidad. No podían permitirse seguir fingiendo y evitando los problemas fundamentales que los alejaban. Con paso decidido, Sara salió de la habitación y buscó a Juan. Estaba lista para enfrentar juntos las heridas ocultas,

51

romper las barreras y descubrir el camino hacia una conexión auténtica y un amor verdadero. Aunque no sería fácil, confiaba en que Dios los guiaría en este proceso de despojarse de la máscara del cariño y encontrar la verdadera sanidad y crecimiento en su matrimonio.

Este capítulo explorará la máscara del cariño en un matrimonio cristiano, revelando las emociones ocultas y las dinámicas que pueden entorpecer la verdadera intimidad. A través de las experiencias de Sara y Juan, aprenderemos cómo confrontar esa máscara y buscar la sanidad y restauración que Dios anhela para cada matrimonio cristiano.

¿Qué es una máscara del cariño en un matrimonio? La máscara del cariño en un matrimonio cristiano es una fachada que las parejas pueden utilizar para ocultar problemas y conflictos subyacentes en su relación. Es una representación externa de afecto y amor que se muestra frente a los demás, pero que no refleja necesariamente la realidad interna de la relación. Esta máscara puede tomar diferentes formas. Puede ser una actitud excesivamente amable y cordial en público, mientras que en privado se experimenta una falta de comunicación profunda. También puede manifestarse como una apariencia de armonía y felicidad constante, aunque existan tensiones y resentimientos que no se abordan.

La máscara del cariño en un matrimonio cristiano puede surgir por diferentes motivos. Puede ser el miedo a la vergüenza o al juicio de los demás, la presión por mantener una imagen idealizada de la relación o incluso el deseo de evitar enfrentar los problemas y conflictos internos. Sin embargo, al usar esta máscara, la pareja evita confrontar las heridas y los desafíos que impiden un crecimiento saludable y una conexión genuina. Es importante reconocer la máscara del cariño en un matrimonio cristiano para poder abordar los problemas de manera efectiva. Esto implica ser sinceros consigo mismos y con el cónyuge, confrontar las emociones y las dificultades subyacentes, y buscar la guía y la sabiduría de Dios para sanar y restaurar la relación.

La superación de la máscara del cariño requiere valentía y vulnerabilidad por parte de ambas partes. Es un proceso de despojarse de las apariencias y comprometerse a trabajar juntos en la resolución de los problemas, fortaleciendo la comunicación, la confianza y la intimidad emocional y espiritual. En última instancia, reconocer y confrontar la máscara del cariño en un matrimonio cristiano es un paso crucial hacia la sanidad, el crecimiento y la transformación. Al ser auténticos y honestos en la relación, las parejas pueden experimentar una conexión más profunda, un amor genuino y una vida matrimonial plena bajo la guía y el amor de Dios.

Vivir en un matrimonio cristiano bajo una máscara del cariño puede tener diversas consecuencias negativas en la relación. A continuación, le comparto diez posibles consecuencias de esta situación:

Falta de autenticidad: La máscara del cariño impide la sinceridad y la honestidad en la relación, lo que dificulta el crecimiento y la resolución de problemas. La falta de autenticidad en un matrimonio cristiano se refiere a la incapacidad o la falta de voluntad para ser verdaderamente uno mismo en la relación. Implica ocultar emociones, pensamientos, necesidades y dificultades reales detrás de una fachada o una máscara para mantener una apariencia de armonía y conformidad. La falta de autenticidad en un matrimonio cristiano puede ser consecuencia de varios factores, como el temor al rechazo, la inseguridad, la presión por mantener una imagen idealizada o el deseo de evitar conflictos. Sin embargo, esta falta de autenticidad puede llevar a una desconexión emocional, a la acumulación de resentimientos y a la falta de crecimiento y resolución de problemas en la relación.

Aquí tienes un ejemplo sobre cómo la máscara de falta de autenticidad puede afectar un matrimonio cristiano:

María y Andrés son un matrimonio cristiano que ha estado casado por varios años. Ambos son activos en su iglesia y son respetados por su comunidad como un ejemplo de pareja piadosa. Sin embargo, detrás de esa fachada de perfección, hay una falta de autenticidad que está afectando su matrimonio. María ha estado lidiando con sentimientos de inseguridad y baja autoestima desde hace un tiempo. Siente la presión de mantener la imagen de "la esposa cristiana ideal" y teme que, si muestra sus debilidades y luchas internas, Andrés la verá como una persona menos espiritual y fuerte. Por lo tanto, siempre se muestra alegre y sonriente, incluso cuando en su interior está luchando con la ansiedad y la tristeza.

Por otro lado, Andrés está pasando por dificultades económicas en su trabajo y ha experimentado un declive en su fe en los últimos meses. Sin embargo, no se atreve a compartir sus dudas y preocupaciones con María porque siente que ella espera que él siempre sea el líder espiritual fuerte y confiado en la familia. Así que, en lugar de ser honesto, se esfuerza por mantener una apariencia de fe inquebrantable y éxito profesional. Con el tiempo, esta máscara de falta de autenticidad comienza a generar una brecha entre María y Andrés. Ambos se sienten aislados emocionalmente y temen que, si son sinceros el uno con el otro, podrían decepcionarse mutuamente o ser juzgados. En lugar de apoyarse mutuamente en sus luchas y dificultades, se aferran a la fachada de perfección y se vuelven cada vez más distantes. La falta de autenticidad también afecta su vida espiritual. A medida que ocultan sus dudas y luchas ante Dios y el uno al otro, su vida de oración y comunión con Dios se ve afectada. Ambos sienten que no pueden ser honestos en su relación con Dios, lo que dificulta su crecimiento espiritual y la conexión con su fe.

Finalmente, un día, la tensión acumulada estalla cuando María y Andrés tienen una discusión. Las emociones reprimidas y la falta de autenticidad salen a la luz, y se encuentran enfrentando la realidad de que han estado viviendo una farsa en su matrimonio. En este ejemplo, la máscara de falta de autenticidad ha afectado seriamente el matrimonio cristiano de María y Andrés. La falta de honestidad emocional y espiritual ha creado una barrera entre ellos, impidiendo una verdadera intimidad y conexión en su relación. Para sanar y fortalecer su matrimonio, necesitarán ser valientes y vulnerables al compartir sus verdaderos sentimientos y luchas, permitiéndose apoyarse mutuamente en el amor y la gracia de Dios.

Falta de intimidad emocional:

La falta de apertura y vulnerabilidad debajo de la máscara impide el desarrollo de una conexión emocional profunda entre los cónyuges. La falta de intimidad emocional en un matrimonio cristiano se refiere a la ausencia o la limitación de una conexión profunda y significativa a nivel emocional entre los cónyuges. Implica la incapacidad de compartir abierta y vulnerablemente los pensamientos, sentimientos, sueños y temores más profundos con el otro. Cuando hay falta de intimidad emocional, los cónyuges pueden mantener una distancia emocional, evitando compartir sus experiencias internas y limitando la expresión de sus emociones auténticas. Puede haber una barrera que impide la verdadera comprensión y conexión emocional entre ellos. La falta de intimidad emocional en un matrimonio cristiano puede tener un impacto negativo en la relación. Puede generar sensaciones de soledad, falta de apoyo emocional y dificultad para resolver conflictos y enfrentar desafíos juntos. Además, puede obstaculizar el crecimiento espiritual de la pareja, ya que la intimidad emocional es un aspecto clave en el desarrollo de una conexión más profunda y en la capacidad de apoyarse mutuamente en la fe.

Aquí tienes un ejemplo sobre cómo la máscara de falta de intimidad emocional puede afectar un matrimonio cristiano:

Carlos y Laura son un matrimonio cristiano que ha estado casado por varios años. Ambos son creyentes comprometidos y disfrutan de una relación amigable en su día a día. Sin embargo, detrás de esa apariencia de armonía, hay una falta de intimidad emocional que está afectando su matrimonio. Desde hace algún tiempo, Laura ha estado enfrentando dificultades emocionales debido a la pérdida de su trabajo y problemas de salud en su familia. Siente la necesidad de compartir sus preocupaciones y miedos con Carlos, pero teme que él no la comprenda completamente o que lo perciba como una carga. Entonces, decide mantener sus sentimientos ocultos y se encierra en sí misma.

Por otro lado, Carlos también ha estado lidiando con tensiones y presiones en su trabajo, lo que lo ha llevado a sentirse estresado y agotado emocionalmente. Sin embargo, cada vez que trata de hablar sobre sus preocupaciones con Laura, ella parece distraída o simplemente no muestra un interés genuino en escucharlo. Debido a esto, Carlos opta por no compartir sus sentimientos más profundos, temiendo que no sean bien recibidos o que puedan generar conflictos. Con el tiempo, esta máscara de falta de intimidad emocional comienza a distanciar a Carlos y Laura. Ambos se sienten solos en sus luchas internas, lo que crea una brecha emocional entre ellos. Aunque se muestran cariño y amabilidad en su relación cotidiana, la falta de conexión emocional les impide compartir sus verdaderos sentimientos y necesidades.

Esta falta de intimidad emocional también afecta su vida espiritual como pareja. A medida que se mantienen alejados emocionalmente, su capacidad para apoyarse mutuamente en la fe y enfrentar desafíos espirituales se ve comprometida. Ambos comienzan a sentir que están lidiando con sus problemas por separado y que no pueden encontrar consuelo o guía en su relación con Dios y el uno al otro. Un día, en medio de una discusión aparentemente insignificante, las emociones reprimidas salen a la superficie y se encuentran confrontando el hecho de que han estado evitando la verdadera intimidad emocional en su matrimonio. Se dan cuenta de que han estado llevando una máscara de felicidad mientras se alejan cada vez más el uno del otro.

En este ejemplo, la máscara de falta de intimidad emocional ha afectado seriamente el matrimonio cristiano de Carlos y Laura. La falta de apertura y vulnerabilidad emocional ha creado una distancia entre ellos, dificultando una verdadera conexión y comprensión en su relación. Para sanar y fortalecer su matrimonio, necesitarán aprender a comunicarse abiertamente sobre sus sentimientos y necesidades, buscando la verdadera intimidad emocional en el amor y la gracia de Dios.

Acumulación de resentimientos: La falta de comunicación genuina puede llevar a la acumulación de resentimientos no resueltos, lo que puede generar tensiones y conflictos en el matrimonio. La acumulación de resentimientos en un matrimonio cristiano se refiere a la tendencia de guardar y acumular sentimientos negativos, amargura y enojo hacia el cónyuge a lo largo del tiempo. Estos resentimientos surgen cuando se sienten heridos, desatendidos o frustrados repetidamente en la relación matrimonial. Cuando los resentimientos se acumulan, se convierten en una carga emocional que puede afectar significativamente la dinámica de la relación. En lugar de expresar y resolver los problemas y conflictos de manera adecuada, los cónyuges pueden optar por guardar esos sentimientos y alimentar el resentimiento en silencio. La acumulación de resentimientos en un matrimonio cristiano puede tener diversas consecuencias negativas. Puede generar un distanciamiento emocional entre los cónyuges, erosionar la confianza y la intimidad, y crear un ambiente lleno de tensiones y conflictos no resueltos. Además, puede afectar la comunicación y la habilidad de los cónyuges para resolver problemas de manera constructiva.

La acumulación de resentimientos en un matrimonio cristiano puede tener diversas consecuencias negativas. Puede generar un distanciamiento emocional entre los cónyuges, erosionar la confianza y la intimidad, y crear un ambiente lleno de tensiones y conflictos no resueltos. Además, puede afectar la comunicación y la habilidad de los cónyuges para resolver problemas de manera constructiva.

Aquí tienes un ejemplo sobre cómo la máscara de acumulación de resentimientos puede afectar un matrimonio cristiano:

Ana y David son un matrimonio cristiano que han estado casado por varios años. Ambos son personas amables y cariñosas, pero detrás de esa fachada de amor y comprensión, hay una acumulación de resentimientos que está afectando su matrimonio. A lo largo de los años, Ana ha sentido que David no está ayudando lo suficiente en las tareas del hogar y en el cuidado de los niños. Se siente abrumada y agotada, pero en lugar de comunicar sus necesidades y frustraciones de manera directa, ha optado por guardar silencio y hacerse cargo de todo para mantener la paz.

Por otro lado, David ha sentido que Ana no le muestra suficiente aprecio y reconocimiento por sus esfuerzos en el trabajo y en proveer para la familia. Se siente desvalorizado, pero en lugar de hablar abiertamente con Ana sobre sus sentimientos, ha comenzado a distanciarse emocionalmente y a refugiarse en su trabajo y pasatiempos para evitar enfrentar el problema. Con el tiempo, esta máscara de acumulación de resentimientos comienza a crear una brecha entre Ana y David. Aunque continúan llevando una relación aparentemente normal, la falta de comunicación y la acumulación de emociones no expresadas genera tensión y distancia emocional.

La acumulación de resentimientos también afecta su vida espiritual como pareja. A medida que guardan silencio sobre sus sentimientos y no buscan una resolución en el amor de Dios, su relación con Dios y el propósito espiritual de su matrimonio se ven afectados. Ambos comienzan a sentirse desconectados y alejados de su fe compartida, lo que dificulta aún más la resolución de sus problemas. Un día, durante una discusión sobre un tema aparentemente trivial, la tensión acumulada explota y ambos comienzan a sacar a la luz todos los resentimientos guardados. Se dan cuenta de que han estado evitando enfrentar los problemas en su matrimonio y que la acumulación de resentimientos ha afectado seriamente su conexión emocional y espiritual.

En este ejemplo, la máscara de acumulación de resentimientos ha afectado gravemente el matrimonio cristiano de Ana y David. La falta de comunicación abierta y la negativa a abordar los problemas han creado una brecha emocional entre ellos, impidiendo una verdadera intimidad y comprensión en su relación. Para sanar y fortalecer su matrimonio, necesitarán aprender a comunicarse de manera abierta y honesta sobre sus sentimientos y necesidades, buscando la reconciliación y el perdón en el amor y la gracia de Dios.

Pérdida de confianza: La máscara del cariño puede erosionar la confianza entre los cónyuges, ya que se ocultan las verdaderas emociones y problemas. Aquí tienes un ejemplo sobre cómo la máscara de cariño puede erosionar la confianza en un matrimonio cristiano:

Lucía y Juan son un matrimonio cristiano que asisten regularmente a la iglesia y aparentemente tienen una relación cercana y amorosa. Sin embargo, detrás de esa máscara de cariño que muestran públicamente, hay un problema oculto que está erosionando la confianza en su matrimonio. Juan ha estado lidiando con una adicción secreta al juego durante varios meses. Siente una profunda vergüenza y temor de que Lucía lo juzgue y lo rechace si se entera de su problema. Por lo tanto, ha mantenido su adicción en secreto, actuando como si todo estuviera bien cuando están juntos.

Por otro lado, Lucía ha estado enfrentando problemas de ansiedad y estrés debido a la presión de sus responsabilidades laborales y familiares. Aunque ama a Juan, ha decidido no compartir sus luchas internas porque teme que él no la comprenda o que piense que no tiene suficiente fe en Dios para superar esos desafíos. Con el tiempo, esta máscara de cariño que ambos llevan puesta comienza a generar fisuras en su matrimonio. La falta de transparencia y honestidad sobre sus luchas personales crea un distanciamiento emocional entre ellos. Aunque tratan de demostrarse amor y cariño superficialmente, la falta de confianza se va acumulando lentamente. Un día, por casualidad, Lucía descubre accidentalmente que Juan ha estado gastando grandes sumas de dinero en juegos de azar. Se siente traicionada y herida por la mentira de Juan, así como por la falta de confianza que él tenía en ella para compartir su problema. A su vez, Juan se siente devastado al descubrir que Lucía también ha estado escondiendo sus propias luchas. Se pregunta si realmente se conocen el uno al otro, y el hecho de que hayan ocultado cosas importantes durante tanto tiempo aumenta sus dudas sobre la confianza en su matrimonio.

En este ejemplo, la máscara de cariño que ambos llevaban para aparentar que todo estaba bien ha erosionado la confianza en su matrimonio. La falta de honestidad y apertura emocional ha creado una brecha entre ellos, y ahora enfrentan el desafío de reconstruir la confianza y la intimidad perdidas para sanar su relación. En un matrimonio cristiano, la transparencia y la comunicación abierta son fundamentales para mantener una conexión emocional profunda y duradera.

Aquí tienes una reflexión que podría cerrar este capítulo en tu vida:

En nuestro camino juntos como pareja cristiana, hemos aprendido que el amor genuino y duradero no se basa en máscaras o apariencias, sino en la autenticidad y la transparencia. Reconocemos que, en ocasiones, hemos llevado una máscara de cariño para ocultar nuestros temores, heridas y luchas internas. Pero hoy, estamos listos para dejar de lado esa fachada y abrazar la verdad en nuestro matrimonio.

En este momento, nos comprometemos a ser honestos y vulnerables el uno con el otro. Aceptamos que no somos perfectos y que, como seres humanos, experimentaremos altibajos en nuestras emociones y en nuestra relación. Prometemos escuchar activamente los pensamientos y sentimientos del otro sin juzgar, ofreciendo nuestro apoyo incondicional en cada paso del camino.

El perdón será nuestro aliado en este proceso. Liberamos a cada uno de la carga de resentimientos y heridas del pasado, y nos abrimos al perdón mutuo. Sabemos que perdonar no significa olvidar, sino liberar el poder que los errores del pasado tienen sobre nuestra relación. Aprendemos a perdonarnos a nosotros mismos y a aceptar el perdón de Dios, permitiendo que Su amor sane nuestras heridas más profundas. Nos comprometemos a buscar a Dios en el centro de nuestro matrimonio. Reconocemos que Su amor es el fundamento sobre el cual construiremos nuestra relación. Buscaremos Su guía en tiempos de alegría y adversidad, sabiendo que en Él encontramos la fuerza para superar cualquier obstáculo.

A medida que cerramos el capítulo de la máscara del cariño, damos la bienvenida a un nuevo capítulo de autenticidad y conexión genuina. Abrazamos nuestra humanidad y nuestras imperfecciones, sabiendo que, en la honestidad, encontramos un amor más profundo y significativo. Unidos por la gracia y el amor de Dios, enfrentamos el futuro con esperanza y confianza. En este nuevo capítulo de nuestro matrimonio cristiano, prometemos amarnos incondicionalmente, ser auténticos en nuestras emociones y palabras, y mantener nuestros corazones abiertos el uno al otro. Con la guía de Dios, continuaremos creciendo en amor y fe, compartiendo una vida de propósito y significado. Que nuestra relación sea un testimonio del amor restaurador de Cristo en nuestras vidas.

Con gratitud por el pasado, esperanza en el presente y confianza en el futuro, cerramos este capítulo de la máscara del cariño y damos la bienvenida a un matrimonio basado en la verdad, el perdón y el amor genuino. Con esta reflexión, se cierra el capítulo de la máscara del cariño en un matrimonio cristiano, y se abre la puerta a una relación más auténtica y comprometida en el amor de Dios.

CAPITULO OCHO

EL PELIGRO DE LA DEPENDENCIA

En el camino del matrimonio cristiano, el amor y la unión son aspectos fundamentales para construir una relación sólida. Sin embargo, existe un peligro que puede acechar en las sombras y afectar la dinámica de la pareja: la dependencia excesiva del otro cónyuge. Este capítulo explora los desafíos y las consecuencias de caer en la trampa de la dependencia y cómo redescubrir la fortaleza individual en un matrimonio cristiano.

Miremos las siguientes cuatro secciones.

Sección 1: "La Belleza de la Unión en la Dependencia Equilibrada"

En un matrimonio cristiano, la dependencia equilibrada puede ser una fuente de fortaleza mutua. El apoyo, la comunicación abierta y el compartir sueños y metas son componentes esenciales de la relación. Esta sección explora cómo la dependencia sana puede fortalecer la conexión emocional entre los cónyuges, llevándolos a crecer juntos en su fe y vida en pareja.

Sección 2: "Identificando las Señales de Peligro: Cuando la Dependencia se Vuelve Tóxica"

A pesar de los aspectos positivos, es importante identificar las señales de peligro cuando la dependencia en un matrimonio cristiano se vuelve tóxica. La sobre dependencia emocional puede conducir a la pérdida de la individualidad, la baja autoestima y la falta de independencia. Esta sección aborda los síntomas y las consecuencias de una dependencia excesiva que puede ahogar la individualidad y debilitar la relación.

Sección 3: "La Importancia de la Autonomía en el Matrimonio Cristiano"

La autonomía y el desarrollo de la fortaleza individual son fundamentales para mantener una relación equilibrada. Esta sección destaca la importancia de mantener los intereses personales y fomentar el crecimiento individual dentro de la unidad matrimonial. Se explora cómo la autonomía enriquece la relación y permite que cada cónyuge se convierta en una fuente de apoyo y estímulo para el otro.

Sección 4: "Reconstruyendo una Relación Equilibrada: Aprendiendo a Crecer Juntos sin Perderse a Uno Mismo"

Para superar la dependencia excesiva, es necesario aprender a crecer juntos sin perderse a uno mismo. Esta sección ofrece estrategias prácticas para fortalecer la individualidad y la confianza personal dentro del matrimonio. Se presentan herramientas para establecer límites saludables y fomentar la independencia emocional y espiritual mientras se mantiene una conexión sólida en la pareja.

En el viaje del matrimonio cristiano, la dependencia equilibrada puede ser una fuente de fortaleza y conexión profunda entre los cónyuges. Sin embargo, también existe un peligro inherente en la dependencia excesiva, que puede comprometer la individualidad y la salud de la relación. Este capítulo explora tanto la belleza como el peligro de la dependencia equilibrada en un matrimonio cristiano y proporciona herramientas para navegar por los desafíos que surgen en este camino. Miremos cada sección en mucho más detalle y su peligro.

"La Belleza de la Unión en la Dependencia Equilibrada"

En el matrimonio cristiano, la dependencia equilibrada es una expresión de amor y cuidado mutuo. Los cónyuges se apoyan el uno al otro emocionalmente, espiritualmente y físicamente. Esta sección destaca cómo la confianza y la intimidad se fortalecen cuando ambos se abren a ser vulnerables y a compartir sus vidas con sinceridad y compasión. La unión en la dependencia equilibrada permite que cada cónyuge encuentre consuelo y estímulo en el otro, creciendo juntos en su fe y en su amor mutuo.

A pesar de la belleza de la dependencia equilibrada, existe un peligro cuando la dependencia se vuelve excesiva. La sobre dependencia puede llevar a la pérdida de la individualidad y la independencia emocional de cada cónyuge. Esta sección explora los desafíos que surgen cuando uno o ambos cónyuges se vuelven emocionalmente dependientes del otro, buscando satisfacción y validación personal únicamente en la relación. También aborda cómo la sobre dependencia puede llevar a un desgaste emocional y a un agotamiento en la pareja.

Para enfrentar los peligros de la dependencia excesiva, es esencial fortalecer la autonomía individual y la comunicación en el matrimonio cristiano. Esta sección proporciona estrategias prácticas para fomentar la independencia emocional y espiritual en cada cónyuge, mientras se mantiene una conexión sólida y equilibrada en la relación. Se exploran herramientas para establecer límites saludables y para desarrollar una comunicación abierta y honesta, donde ambas partes puedan expresar sus necesidades y preocupaciones con confianza.

En el camino del matrimonio cristiano, el amor incondicional y la gracia juegan un papel fundamental en el afrontamiento de los desafíos de la dependencia. Esta sección destaca cómo el perdón y la compasión pueden abrir el camino hacia la sanidad y la restauración en la relación. A través del amor incondicional, los cónyuges pueden encontrar la fuerza para superar la dependencia excesiva y redescubrir la belleza de la dependencia equilibrada.

El matrimonio cristiano es un viaje de crecimiento y aprendizaje, donde la dependencia equilibrada puede ser una fuente de unión y fortaleza. Sin embargo, también hay un peligro en caer en la sobre dependencia, lo que puede comprometer la individualidad y la salud de la relación. Al abrazar la autonomía, la comunicación abierta y el amor incondicional, los cónyuges pueden navegar por los desafíos de la dependencia y encontrar un equilibrio saludable en su matrimonio. Con la guía de Dios y la disposición para crecer juntos, la dependencia equilibrada puede florecer, creando una conexión más profunda y significativa en el amor y la fe.

Identificando las Señales de Peligro: Cuando la Dependencia se Vuelve Tóxica

Miremos ahora las señales de peligro cuando la dependencia en un matrimonio cristiano se vuelve tóxica pueden manifestarse de diversas maneras. Aquí hay algunas señales de alerta a tener en cuenta:

Falta de Autonomía: Uno o ambos cónyuges muestran una falta de independencia emocional y espiritual. Dependen en exceso del otro para tomar decisiones, resolver problemas o encontrar sentido en sus vidas.

Baja Autoestima: Uno o ambos cónyuges muestran una disminución en su autoestima y valoración personal. Pueden basar su sentido de autovaloración en la opinión del otro, lo que puede llevar a una falta de confianza en sí mismos.

Necesidad Constante de Aprobación: Los cónyuges buscan constantemente la aprobación y validación del otro. Su bienestar emocional depende en gran medida de cómo el otro los percibe y los trata.

Aislamiento Social: Los cónyuges se vuelven exclusivamente dependientes el uno del otro y descuidan otras relaciones significativas con amigos y familiares. Se aíslan socialmente y se alejan de su comunidad de apoyo.

Evitar Conflictos: Los cónyuges evitan enfrentar problemas o conflictos en la relación por temor a perder la conexión emocional. Pueden reprimir sus sentimientos y necesidades para mantener la armonía superficial.

Falta de Comunicación Abierta: La comunicación se vuelve superficial o inexistente sobre temas importantes. Los cónyuges pueden temer expresar sus verdaderos sentimientos y pensamientos por miedo a ser juzgados o rechazados.

Cambio en la Identidad Personal: Uno o ambos cónyuges pueden perder su sentido de identidad individual y centrarse en vivir únicamente para el otro. Sus intereses, metas y deseos personales pueden quedar en segundo plano.

Desgaste Emocional y Agotamiento: La sobre dependencia puede generar un desgaste emocional y agotamiento en ambos cónyuges. La necesidad constante de atención y apoyo puede ser abrumadora para el otro.

Manipulación Emocional: Uno de los cónyuges puede usar la dependencia del otro para manipular situaciones o conseguir lo que quiere. Pueden utilizar la culpa o el victimismo para mantener el control emocional sobre el otro.

Falta de Crecimiento Personal y Espiritual: La dependencia tóxica puede limitar el crecimiento personal y espiritual de cada cónyuge. Pueden dejar de buscar su crecimiento individual y centrarse exclusivamente en la relación.

Es importante estar atento a estas señales de peligro en un matrimonio cristiano para abordar los problemas de dependencia excesiva antes de que se conviertan en un obstáculo para la salud emocional y espiritual de la pareja. Si se identifican estas señales, buscar la orientación de un consejero matrimonial o un líder espiritual puede ser de gran ayuda para abordar los desafíos y trabajar hacia una relación más equilibrada y saludable.

La Importancia de la Autonomía en el Matrimonio Cristiano

Miremos ahora La Importancia de la Autonomía en el Matrimonio Cristiano.

La autonomía en el matrimonio cristiano se refiere a la capacidad de cada cónyuge para mantener su propia individualidad, independencia emocional y capacidad para tomar decisiones y desarrollar su crecimiento personal y espiritual dentro de la relación matrimonial. Es el equilibrio entre mantener una identidad propia y al mismo tiempo ser parte de una unidad matrimonial.

La importancia de la autonomía en el matrimonio cristiano radica en varios aspectos fundamentales:

Falta de Espacio Personal: Si uno o ambos cónyuges no respetan el espacio personal del otro y están constantemente pendientes del otro, esto puede ser un signo de dependencia tóxica.

Necesidad Constante de Validación: Si uno o ambos cónyuges buscan constantemente la aprobación y validación del otro para sentirse bien consigo mismos, esto puede indicar una dependencia excesiva.

Baja Autoestima y Sentimientos de Inutilidad: Si uno o ambos cónyuges muestran una disminución de la autoestima y se sienten inseguros o inútiles sin el apoyo del otro, esto puede ser una señal de dependencia tóxica.

Evitar Hacer Cosas Por Separado: Si los cónyuges evitan hacer cosas por separado y dependen completamente el uno del otro para la satisfacción de sus necesidades emocionales, esto puede indicar una dependencia poco saludable.

Temor a la Soledad: Si uno o ambos cónyuges tienen un miedo intenso a quedarse solos o sin el otro, esto puede ser una señal de una dependencia excesiva.

Exclusividad Emocional: Si los cónyuges se aíslan socialmente y se vuelven emocionalmente dependientes solo el uno del otro, descuidando otras relaciones significativas, esto puede indicar una dependencia tóxica.

Manipulación Emocional: Si uno de los cónyuges usa la dependencia del otro para manipular situaciones o conseguir lo que quiere, esto puede ser un signo de dependencia tóxica.

Falta de Independencia Financiera: Si uno de los cónyuges depende financieramente del otro y no tiene autonomía en sus decisiones económicas, esto puede ser una señal de dependencia poco saludable.

Sacrificio de Propias Necesidades y Deseos: Si uno o ambos cónyuges constantemente sacrifican sus propias necesidades y deseos para satisfacer los del otro, esto puede indicar una dependencia tóxica.

Comunicación Poco Saludable: Si la comunicación se vuelve superficial o inexistente sobre temas importantes y los cónyuges evitan hablar abiertamente sobre sus sentimientos y necesidades, esto puede ser una señal de dependencia excesiva.

Es importante estar atento a estas señales de peligro en un matrimonio cristiano para abordar los problemas de dependencia tóxica a tiempo. Si se identifican estas señales, buscar la orientación de un consejero matrimonial o un líder espiritual puede ser de gran ayuda para abordar los desafíos y trabajar hacia una relación más equilibrada y saludable en el amor y la fe.

CAPITULO NUEVE

EL PUNTO DEL QUIEBRE

¿Qué significa el punto del quiebre? Bueno, el "punto de quiebre" en un matrimonio enfermo es el momento crítico en el que las dificultades y problemas se vuelven demasiado abrumadores, llevando a uno o ambos cónyuges a considerar seriamente poner fin a la relación. Este punto puede manifestarse de diferentes maneras, como una falta de comunicación, conflictos constantes, falta de compromiso, infidelidad, abuso, entre otros problemas graves que generan un quiebre emocional en la relación.

Es importante reconocer que el punto de quiebre no siempre significa el final definitivo de un matrimonio. En algunos casos, puede ser una oportunidad para buscar ayuda profesional, como terapia de pareja, asesoramiento matrimonial o mediación, con el objetivo de abordar los problemas subyacentes y trabajar en la reconstrucción de la relación. Sin embargo, en situaciones extremas donde la relación es tóxica, abusiva o simplemente no hay espacio para la reconciliación, el punto de quiebre puede ser el inicio del proceso de separación o divorcio para preservar la salud mental y emocional y espiritual de ambas partes involucradas.

¿Que causa que un matrimonio llegue a un punto de quiebre?

Los puntos de quiebre en un matrimonio pueden ser el resultado de una serie de factores complejos y acumulativos.

Permítanme darles unos desencadenantes comunes que pueden conducir a un punto crítico en una relación matrimonial:

Comunicación deficiente: La falta de comunicación efectiva puede llevar a malentendidos, resentimientos no resueltos y una sensación de desconexión emocional entre los cónyuges.

Conflictos constantes: Las discusiones frecuentes, la incapacidad para resolver problemas y la falta de compromiso para encontrar soluciones pueden crear tensiones insostenibles.

Problemas financieros: El estrés financiero puede desencadenar tensiones significativas en una relación. Las disputas sobre el dinero, deudas excesivas o diferencias en la gestión financiera pueden contribuir al quiebre.

Infidelidad: La falta de fidelidad puede ser devastadora para un matrimonio. La pérdida de confianza y el dolor emocional que proviene de la infidelidad pueden ser muy difíciles de superar.

Problemas de salud mental o adicciones: La depresión, la ansiedad, el abuso de sustancias u otros problemas de salud mental pueden afectar la dinámica de la relación y la capacidad de los cónyuges para mantener una conexión saludable.

Diferencias irreconciliables: A veces, las diferencias fundamentales en valores, metas o visiones de futuro pueden llegar a un punto en el que la pareja siente que no puede seguir adelante juntos.

Falta de intimidad emocional o física: La ausencia de conexión emocional o física puede hacer que los cónyuges se sientan solos o desconectados, llevando a un distanciamiento significativo.

Abuso, ya sea físico o emocional: La presencia de abuso en cualquier forma puede ser una causa clara y justificada para el quiebre de un matrimonio.

Cada matrimonio es único, por lo que el punto de quiebre puede variar dependiendo de la dinámica específica de la relación y los valores individuales de los cónyuges involucrados. En algunos casos, estos problemas se pueden abordar y superar con terapia, compromiso mutuo y esfuerzo continuo. En otros casos, el quiebre puede ser la señal de que la separación o el divorcio son las mejores opciones para la salud y el bienestar de ambos.

¿Cuáles son los síntomas de un punto de quiebre en un matrimonio?

El punto de quiebre en un matrimonio puede manifestarse de diversas formas, y algunos síntomas comunes pueden indicar que la relación está llegando a un punto crítico. Estos síntomas pueden incluir:

Comunicación deteriorada: La falta de comunicación o la comunicación negativa, como discusiones frecuentes, peleas constantes o evasión de conversaciones importantes.

Distanciamiento emocional: Una sensación de desconexión emocional, sentir que ya no se entienden o se apoyan mutuamente como solían hacerlo.

Falta de compromiso: Una disminución en el compromiso con la relación o con resolver los problemas que surgen. Puede reflejarse en la falta de interés en trabajar juntos para superar dificultades.

Reducción significativa de la intimidad: Tanto emocional como físicamente, la relación puede carecer de cercanía y conexión íntima.

Resentimiento y amargura acumulados: Sentimientos de resentimiento o amargura que persisten y se acumulan debido a problemas no resueltos o heridas emocionales no sanadas.

Pérdida de confianza: La confianza se ve socavada, ya sea debido a la infidelidad, la falta de apoyo emocional o la falta de fiabilidad en la relación.

Indiferencia o apatía: Sentir una falta de interés o cuidado por el bienestar del otro cónyuge o por el futuro de la relación.

Búsqueda de satisfacción fuera de la relación: Buscar compañía, apoyo emocional o intimidad con terceros fuera del matrimonio puede indicar un distanciamiento emocional significativo.

Continua falta de soluciones: A pesar de los intentos previos, los problemas persisten y no se encuentran soluciones duraderas.

Pensamientos de separación o divorcio: La aparición de pensamientos recurrentes sobre poner fin a la relación, ya sea como una fantasía de escape o como una solución realista.

Estos síntomas pueden variar en intensidad y manifestación en cada matrimonio. La identificación temprana de estos signos puede ser crucial para buscar ayuda profesional, como la terapia de pareja o el asesoramiento matrimonial, con el objetivo de abordar los problemas y encontrar maneras de reconstruir la relación antes de llegar a un punto de no retorno.

Cuando un matrimonio está contemplando un quiebre, es importante el buscar ayuda profesional. Un terapeuta matrimonial o consejero puede ser fundamental en este proceso. Aquí hay pasos específicos que podrían ser parte de ese tratamiento:

Terapia o consejero matrimonial: Un terapeuta especializado en relaciones puede ayudar a identificar los problemas subyacentes, mejorar la comunicación y ofrecer herramientas para resolver conflictos. Esta terapia puede ser de corto o largo plazo, dependiendo de la situación.

En algunos casos, los terapeutas pueden sugerir sesiones individuales para cada miembro de la pareja. Esto puede ayudar a explorar preocupaciones personales que puedan estar afectando la relación. Trabajar con el terapeuta para establecer metas específicas para la terapia puede proporcionar dirección y un marco claro para el proceso de recuperación de la relación.

A menudo, el problema central en un matrimonio en crisis es la comunicación deficiente.   El terapeuta puede enseñar habilidades de comunicación efectiva para mejorar la interacción y comprensión mutua. Aprender a abordar los conflictos de manera constructiva y llegar a acuerdos mutuos es esencial para la salud a largo plazo de la relación. Analizar patrones y dinámicas en la relación puede ayudar a identificar áreas problemáticas y encontrar formas de abordarlas. Si la confianza se ha visto afectada, el terapeuta puede ayudar a la pareja a reconstruirla, trabajando en la honestidad, la transparencia y el perdón.

En última instancia, el éxito del tratamiento depende de la disposición de ambas partes para comprometerse con el proceso terapéutico y con el cambio. Es importante tener expectativas realistas y estar abiertos a trabajar en la relación de manera activa y continua fuera de las sesiones terapéuticas.

CAPITULO DIEZ

HERIDAS QUE NO SANAN

Imaginemos un matrimonio donde uno de los cónyuges cometió una infidelidad hace algunos años. Aunque esa situación fue confrontada en su momento, no se abordaron completamente las emociones, el dolor y las repercusiones a largo plazo. La pareja decidió seguir adelante, pero el impacto emocional de la traición persiste y ha generado heridas que no sanan.

A pesar de los esfuerzos para reconstruir la confianza, la pareja aún experimenta dificultades para superar completamente el episodio. El cónyuge traicionado puede sentirse constantemente inseguro, incapaz de confiar plenamente en su pareja nuevamente, incluso si ha intentado perdonar. Este sentimiento de desconfianza puede manifestarse en formas sutiles pero persistentes, como la necesidad de saber constantemente la ubicación de la otra persona o la búsqueda de pruebas de lealtad.

Por otro lado, el cónyuge que cometió la infidelidad puede sentirse atrapado en un ciclo de culpa y remordimiento, sin saber cómo reparar completamente el daño causado. A pesar de su arrepentimiento y esfuerzos por demostrar su compromiso, puede enfrentar la frustración de no poder borrar el pasado y restaurar la relación a su estado anterior.

A lo largo del tiempo, estas heridas no sanadas pueden manifestarse en formas de comunicación deteriorada. Las conversaciones pueden volverse evasivas o estar marcadas por la tensión constante. Las emociones reprimidas pueden surgir en momentos de estrés, generando discusiones recurrentes sobre el pasado. A pesar de querer avanzar juntos, el dolor emocional no resuelto sigue influyendo en la relación, creando un patrón de cicatrices que aún no se han curado por completo.

Las heridas que no sanan en un matrimonio son aquellas experiencias emocionales o situaciones dolorosas que persisten a lo largo del tiempo sin resolverse. Pueden manifestarse de diversas maneras y pueden ser el resultado de conflictos no resueltos, traumas emocionales, falta de comunicación, falta de perdón o experiencias pasadas que siguen afectando la relación.

Les comparto en mas detalle estas manifestaciones de diversas heridas.

Falta de perdón: Cuando uno o ambos miembros de la pareja no pueden perdonar o superar situaciones pasadas, como una infidelidad, mentiras repetidas, o conflictos que nunca se resolvieron. La falta de perdón en un matrimonio puede desarrollarse de varias maneras y a menudo es un proceso gradual que puede tener raíces profundas. La falta de perdón puede manifestarse a través de la persistencia de emociones negativas como el enojo, el resentimiento o la desconfianza. Puede conducir a una comunicación deteriorada, distanciamiento emocional e incluso a la consideración de poner fin a la relación.

Superar la falta de perdón en un matrimonio requiere tiempo, esfuerzo y compromiso por parte de ambos cónyuges. Implica la disposición de confrontar y trabajar en las heridas emocionales, la comunicación abierta y honesta, y un esfuerzo genuino por entender y perdonar las acciones pasadas. En muchos casos, buscar la ayuda de un terapeuta o consejero matrimonial puede ser fundamental para guiar este proceso de perdón y reconstrucción de la relación.

Comunicación deteriorada: La comunicación deteriorada en un matrimonio puede desarrollarse por diversas razones y a menudo es el resultado de patrones de comportamiento y dinámicas que se van acumulando con el tiempo. Si la pareja ha desarrollado patrones de comunicación negativos, como la evitación de problemas, el resentimiento constante o la falta de empatía, esto puede generar heridas emocionales profundas que no se curan. Tal como falta de escuchar activamente, conflictos no resultados, falta de empatía, comunicación pasiva y agresiva, desconexión emocional y muchas más.

Abordar la comunicación deteriorada implica esfuerzos conjuntos para mejorar la escucha, promover la empatía, resolver conflictos de manera constructiva y practicar una comunicación abierta y honesta. A menudo, buscar la ayuda de un terapeuta puede proporcionar herramientas y estrategias específicas para mejorar la comunicación en la pareja.

Traumas no abordados: La comunicación deteriorada en un matrimonio puede desarrollarse por diversas razones, y suele ser un proceso gradual que puede tener múltiples facetas como falta de atención, rutina y falta de interés, acumulación de resentimientos, patrones de comunicación negativos, distanciamiento emocional, experiencias traumáticas individuales o compartidas, como la pérdida de un ser querido, problemas de salud mental, adicciones, abuso sexual, entre otros, pueden afectar la dinámica de la relación si no se enfrentan y se manejan adecuadamente.

Revertir la comunicación deteriorada implica un esfuerzo conjunto para mejorar la calidad de la interacción. Esto puede incluir trabajar en la escucha activa, la empatía, la resolución de conflictos de manera constructiva, buscar momentos de calidad juntos y, a veces, buscar orientación profesional, como la terapia de pareja, para aprender herramientas específicas para mejorar la comunicación.

Patrones de comportamiento dañinos: La repetición de comportamientos destructivos, como la crítica constante, la falta de apoyo emocional, el abuso emocional o físico, puede causar heridas duraderas en la relación. Los patrones de comportamiento dañinos en un matrimonio pueden desarrollarse por diversas razones y a menudo evolucionan con el tiempo. Estos comportamientos pueden ser el resultado de experiencias pasadas, falta de habilidades de comunicación o problemas individuales que se manifiestan en la relación.

Por ejemplo, algo muy común: Modelos de conducta aprendidos, Las experiencias pasadas, como haber crecido en un entorno familiar con patrones de comportamiento tóxicos o abusivos, pueden influir en la forma en que uno se relaciona en su matrimonio. Si uno de los cónyuges ha sido expuesto a estos modelos de conducta, es posible que los replique inconscientemente en su relación actual. Otras formas en las que pueden desarrollarse son; Estrés y presiones externas, problemas individuales no resultados, dificultades de comunicación, ciclos de conflictos no resuelto y otros más.

Abordar estos patrones de comportamiento dañino implica reconocer su existencia, y entender sus raíces y trabajar activamente en cambiar esos patrones. Esto puede implicar la búsqueda de ayuda profesional, como terapia de pareja o individual, para aprender habilidades de comunicación saludables, mejorar la comprensión mutua y abordar problemas subyacentes que contribuyen a estos comportamientos negativos.

Expectativas no cumplidas: Cuando las expectativas de uno o ambos miembros de la pareja no se cumplen repetidamente, puede generar resentimiento y heridas emocionales que persisten si no se abordan. Las expectativas no cumplidas en un matrimonio se refieren a las ideas, esperanzas o necesidades que cada miembro de la pareja tiene sobre cómo debería ser la relación o cómo debería comportarse el otro en determinadas situaciones. Estas expectativas pueden abarcar diferentes áreas, como la comunicación, la intimidad, la crianza de los hijos, la distribución de responsabilidades o incluso aspectos más amplios relacionados con las metas y valores en la vida.

Cuando estas expectativas no se cumplen, puede generar tensiones, conflictos o sentimientos de decepción en la relación. Por ejemplo, si uno de los cónyuges espera recibir apoyo emocional en momentos difíciles y siente que su pareja no lo brinda de la manera que esperaba, esto puede generar una expectativa no cumplida. Del mismo modo, si se espera una distribución equitativa de tareas domésticas y uno de los cónyuges percibe que el otro no contribuye de la forma deseada, esto también podría ser una expectativa no satisfecha.

Es importante reconocer que tener expectativas en una relación es natural, pero también es crucial ser realista y comunicarse abiertamente sobre esas expectativas. Abordar las expectativas no cumplidas implica una comunicación clara y comprensiva entre los cónyuges. Esto puede implicar conversaciones honestas para alinear las expectativas, mostrar empatía hacia las necesidades del otro y trabajar juntos para encontrar compromisos que satisfagan a ambos en la relación. Es importante manejar estas expectativas de manera consciente y comunicativa en una relación. Esto implica hablar abierta y honestamente sobre las expectativas mutuas para alinearlas y comprender mejor las necesidades del otro en la relación. La falta de cumplimiento de estas expectativas no siempre implica que uno de los cónyuges esté en falta, sino que puede reflejar diferencias en la percepción o enfoques individuales hacia la relación. Trabajar juntos para comprender y negociar estas expectativas puede fortalecer la conexión y la comprensión mutua en el matrimonio.

Desconexión emocional: La desconexión emocional en un matrimonio se refiere a una falta de conexión profunda y significativa entre los cónyuges en el nivel emocional. A menudo implica una pérdida de intimidad emocional, cercanía y

81

comprensión mutua. Si la pareja ha perdido la conexión emocional, la intimidad y la cercanía emocional, estas heridas pueden ser profundas y difíciles de sanar sin esfuerzos deliberados para reconectar.

La desconexión emocional puede ser el resultado de una variedad de factores, como cambios en la dinámica de la relación, falta de comunicación, problemas no resueltos, estrés externo o incluso problemas individuales no abordados. Abordar la desconexión emocional implica trabajar juntos para reconectar a un nivel emocional más profundo, fomentar una comunicación más abierta y comprensiva, y buscar formas de reconstruir la intimidad emocional en la relación. Esto a menudo requiere esfuerzo, empatía y compromiso de ambas partes para fortalecer la conexión emocional y revitalizar la relación.

Abordar estas heridas requiere esfuerzo, compromiso y, a menudo, la ayuda de un terapeuta o consejero matrimonial para identificar, entender y sanar las heridas emocionales. Es crucial trabajar juntos para reconstruir la confianza, mejorar la comunicación y, en muchos casos, aprender a perdonar y dejar ir el dolor pasado para avanzar en la relación.

Recuerda estos cinco pasos para sanar y restaurar su matrimonio.

1. Reconocimiento de las heridas

2. Comunicación abierta

3. Empatía y comprensión

4. Búsqueda de ayuda profesional

5. Compromiso y esfuerzo conjunto

CAPITULO ONCE

LA LUCHA INTERIOR

U na lucha interior en un matrimonio es cuando uno o ambos cónyuges experimentan conflictos, dilemas o tensiones internas que afectan su bienestar emocional. Identificar estas señales no siempre implica que la relación esté destinada a fracasar, pero sí indica que hay aspectos emocionales o personales que requieren atención y comprensión. Es importante fomentar una comunicación abierta y mostrar apoyo para abordar estas luchas internas juntos, ya sea a través de la autoexploración individual o buscando ayuda profesional en terapia de pareja o individual.

Imagina a una pareja que ha estado casada durante varios años y recientemente han experimentado dificultades debido a problemas financieros. El esposo, que perdió su empleo, se siente abrumado por la responsabilidad de proveer para su familia. Esta presión interna lo lleva a sentirse inseguro, estresado y con una sensación de fracaso personal, lo que afecta su autoestima y su disposición para comunicarse abiertamente con su esposa.

Por otro lado, la esposa, preocupada por la situación financiera, siente la carga de apoyar emocionalmente a su esposo mientras intenta mantener la estabilidad en el hogar. Sin embargo, su lucha interna radica en sentirse agobiada por el estrés, la incertidumbre y una sensación de responsabilidad abrumadora. Estas tensiones internas afectan la dinámica de la relación. La comunicación se vuelve tensa y evitan hablar sobre sus preocupaciones por temor a generar más estrés en el otro. Ambos se sienten atrapados en sus propias luchas internas, lo que contribuye a una desconexión emocional en su matrimonio.

Sin embargo, con el tiempo, deciden abordar juntos sus luchas internas. Buscan ayuda profesional y comienzan a hablar abierta y honestamente sobre sus temores, preocupaciones y sentimientos de inseguridad. Aprenden a apoyarse mutuamente, compartir la carga emocional y trabajar en equipo para encontrar soluciones a sus problemas financieros. A través de la terapia y el apoyo mutuo, logran superar sus luchas internas al aprender a comunicarse de manera más efectiva, establecer metas realistas y colaborar en la toma de decisiones financieras. Su relación se fortalece a medida que se enfrentan juntos a las dificultades, reconociendo y abordando sus luchas internas para encontrar soluciones que beneficien a ambos.

Les presento otro ejemplo diferente. Imagina a una pareja en su segundo matrimonio, donde ambos tienen hijos de relaciones anteriores. A pesar del amor mutuo, enfrentan dificultades al lidiar con los conflictos y dilemas que surgen debido a la crianza de los hijos.

El esposo siente que su autoridad como padrastro es cuestionada por los hijos de su esposa, lo que genera frustración y un dilema interno sobre cómo establecer límites y mantener la armonía en el hogar. Por otro lado, la esposa se debate entre el deseo de apoyar a sus hijos y la necesidad de respaldar a su esposo, enfrentando un dilema sobre cómo equilibrar las necesidades de todos en la familia. Estos conflictos y dilemas internos llevan a tensiones en la relación. La comunicación se vuelve difícil ya que ambos se sienten incapaces de expresar completamente sus preocupaciones sin generar más estrés o conflicto en la familia. La falta de estrategias para abordar estas dificultades crea una brecha emocional entre la pareja.

A medida que los problemas persisten, la pareja se da cuenta de que no saben cómo lidiar con estos conflictos y dilemas. Se sienten atrapados en un ciclo donde los problemas no resueltos generan una mayor distancia emocional. Sin embargo, en lugar de abordar estos dilemas juntos, evitan hablar sobre ellos por miedo a empeorar las cosas. Esta falta de comunicación y la incapacidad para enfrentar los problemas conduce a una desconexión cada vez mayor entre la pareja, generando una sensación de impotencia y desesperanza.

En esta situación, buscar ayuda profesional, como terapia familiar o de pareja, podría ser beneficioso. Un terapeuta puede ayudarles a desarrollar estrategias de crianza, mejorar la comunicación y encontrar soluciones para abordar los conflictos y dilemas de manera constructiva. A través del apoyo externo y el trabajo conjunto, la pareja puede aprender a superar estos desafíos y fortalecer su relación.

¿Por qué es tan difícil confrontar conflictos y dilemas en un matrimonio? Por miedo al conflicto, inseguridad o miedo al rechazo, Falta de habilidades de comunicación, experiencias pasadas, e impacto que puede causar a la relación.

Imagina a una pareja que ha estado casada durante varios años y ambos tienen trabajos exigentes. Últimamente, han experimentado tensiones debido a la falta de tiempo juntos. La esposa siente que su esposo está dedicando mucho tiempo al trabajo, descuidando la conexión emocional y el tiempo compartido en pareja. Por otro lado, el esposo se siente abrumado por las expectativas laborales y considera que necesita ese tiempo para avanzar en su carrera.

La esposa encuentra difícil abordar este dilema con su esposo. Tiene miedo de que hablar sobre sus preocupaciones pueda hacer que su esposo se sienta atacado o que se ponga a la defensiva. Además, teme que plantear este problema pueda generar conflictos y tensión adicional en su relación. Como resultado, guarda silencio y trata de lidiar con sus emociones por su cuenta.   Por su parte, el esposo también es consciente de las tensiones en la relación, pero evita hablar sobre ello porque teme que, si lo hace, su esposa se sienta decepcionada o herida, lo que empeoraría la situación. Siente la presión de mantener el equilibrio entre su carrera y su relación, y evitar el conflicto parece la opción más segura en el momento.

Ambos desean abordar el problema, pero sus miedos individuales a cómo podría reaccionar la otra persona y a las posibles consecuencias negativas de plantear el dilema dificultan la confrontación del conflicto. Esta situación ilustra cómo el miedo al conflicto, la preocupación por el impacto en la relación y la falta de habilidades de comunicación pueden hacer que sea difícil abordar los dilemas y conflictos en un matrimonio.

Muchos me hacen la pregunta, ¿si es común el tener tantos dilemas y conflictos en el matrimonio y continuar casados?

Sí, es bastante común experimentar dilemas y conflictos en un matrimonio y seguir casados. Las relaciones pueden enfrentar desafíos a lo largo del tiempo debido a diferencias individuales, cambios en las circunstancias personales, estrés externo, expectativas no cumplidas o simplemente a la naturaleza compleja de las relaciones humanas. Lo importante no es la ausencia de conflictos, sino cómo se manejan y resuelven esos conflictos. Las parejas saludables pueden enfrentar y superar desafíos manteniendo una comunicación abierta, mostrando empatía, comprometiéndose con el trabajo en equipo y buscando soluciones juntos.

El matrimonio no es perfecto y las diferencias son naturales, pero lo que puede mantener unidos a los cónyuges es su capacidad para trabajar en conjunto, aprender y crecer a través de las dificultades. En muchos casos, superar los conflictos fortalece la relación al construir una base de comprensión, respeto mutuo y confianza. La clave radica en cómo se manejan y resuelven esos dilemas y conflictos: si se abordan con respeto, apertura y esfuerzo mutuo por resolverlos, es posible que la relación crezca y se fortalezca a pesar de los desafíos.

Imagina una pareja que enfrentó una serie de desafíos en su matrimonio, desde problemas financieros hasta diferencias de comunicación y tensiones emocionales. En lugar de dejar que estos conflictos los separaran, se comprometieron a abordarlos juntos.

Primero, desarrollaron habilidades de comunicación efectiva, aprendiendo a expresar sus emociones y necesidades de manera abierta y comprensiva. Esto les permitió resolver problemas de manera constructiva y comprender mejor las perspectivas del otro.

En segundo lugar, enfrentaron los desafíos uno por uno. Trabajaron en equipo para abordar los problemas financieros, establecieron metas realistas y encontraron soluciones prácticas. Además, dedicaron tiempo para fortalecer su conexión emocional, compartiendo experiencias, apoyándose mutuamente y cultivando la intimidad.

A medida que superaban los desafíos, su relación se fortaleció. Desarrollaron un sentido más profundo de confianza, respeto y comprensión mutua. Aprendieron a crecer juntos a través de las dificultades y se convirtieron en un equipo sólido, capaz de enfrentar cualquier desafío que se presentara en su matrimonio.

CAPITULO DOCE

EL CAMINO HACIA LA SANIDAD

La salud de una relación matrimonial puede verse afectada por diversos desafíos, desde problemas de comunicación hasta la pérdida de confianza o la falta de conexión emocional. La sanidad de un amor enfermo en un matrimonio requiere un enfoque integral que aborde varios aspectos de la relación.

Aquí les demuestro dos historias de dos diferentes matrimonios con conflictos diferentes, y como llegaron a caminar hacia la sanidad.

Había una vez una pareja, Sofía y Carlos, que habían estado casados durante más de una década. Lo que alguna vez fue un amor apasionado se había convertido en una relación llena de tensiones y distancias emocionales. Pequeñas discusiones se habían convertido en peleas constantes, y la comunicación entre ellos se había vuelto tensa y superficial. Sofía y Carlos, conscientes de que su matrimonio estaba en crisis, decidieron tomar medidas para sanar su relación. Reconocieron que necesitaban ayuda externa y buscaron terapia matrimonial. Al principio, fue difícil abrirse ante un terapeuta, pero con el tiempo, comenzaron a comprender mejor las dinámicas que habían llevado a su relación a ese punto.

Durante las sesiones, aprendieron a comunicarse de manera más efectiva. Descubrieron que muchas de sus disputas surgían de malentendidos y expectativas no expresadas. Aprender a escucharse mutuamente sin juzgar se convirtió en un cambio crucial en su relación. Ambos también se dedicaron a una auto-reflexión profunda. Reconocieron sus propios errores y cómo sus acciones habían contribuido al distanciamiento entre ellos. Esta introspección los llevó a disculpas genuinas y a un compromiso renovado de trabajar juntos en la reconstrucción de su matrimonio.

La terapia les dio herramientas para reconstruir la confianza. A través de ejercicios diseñados para fortalecer la confianza y la transparencia, empezaron a abrirse el uno al otro, compartiendo sus preocupaciones, miedos y sueños de una manera que no habían hecho en años. Decidieron dedicar tiempo de calidad juntos, haciendo cosas que disfrutaban como pareja. Volvieron a salir en citas como lo hacían en los primeros días de su relación, recordando lo que los unía. El perdón fue un paso fundamental. A medida que trabajaban en su relación, también aprendieron a perdonarse mutuamente por las heridas del pasado. Aprender a dejar ir el resentimiento y avanzar se convirtió en un paso liberador.

Con el tiempo, Sofía y Carlos redescubrieron el amor y la conexión que habían perdido. Su matrimonio no solo sanó, sino que se fortaleció. Aprendieron que el amor requiere esfuerzo continuo, comunicación abierta y un compromiso mutuo de crecer juntos.

Su historia no era perfecta, pero su determinación para sanar su amor enfermo los había llevado a un lugar donde la complicidad, el respeto y el cariño florecían nuevamente, más fuertes que nunca.

En las colinas de un tranquilo pueblo, vivían Diego y Valeria. Se habían enamorado profundamente en su juventud y decidieron casarse. Pero con el paso del tiempo, su matrimonio comenzó a desmoronarse.

Diego, un exitoso ejecutivo, se había sumergido en su trabajo, descuidando gradualmente a Valeria y a su relación. Sus largas horas laborales y el estrés constante lo habían vuelto distante y frío. Valeria, por otro lado, se sentía cada vez más sola y desatendida, sumida en su dolor, anhelando la conexión y la atención de su esposo. Las discusiones se convirtieron en una parte regular de su vida. Cada discusión alimentaba una brecha más profunda entre ellos, cargada de resentimientos acumulados y palabras hirientes que se quedaban sin resolver.

Un día, al borde del abismo, decidieron buscar ayuda. Buscaron a un terapeuta matrimonial después de años de evasión y negación de sus problemas. La terapia les obligó a enfrentar sus miedos, dolores pasados y sus propios errores en la relación. En las sesiones, Diego y Valeria comenzaron a comprender las razones detrás de su distanciamiento. Diego se dio cuenta del impacto de su obsesión por el trabajo en su matrimonio y cómo su estrés había nublado su capacidad para amar y cuidar a Valeria. Por otro lado, Valeria descubrió cómo su sensación de abandono había llevado a su propia desconexión emocional.

El camino hacia la sanidad fue arduo. Requirió que ambos se sumergieran en un proceso de auto-reflexión dolorosa, enfrentando sus defectos y luchando contra sus miedos más profundos. A medida que avanzaban en la terapia, aprendieron a comunicarse de manera más efectiva, expresando sus sentimientos de manera honesta y empática. La reconstrucción de la confianza fue uno de los mayores desafíos. Diego tuvo que demostrar con acciones su compromiso con Valeria, reduciendo sus horas de trabajo y dedicando tiempo de calidad a su relación. Valeria, a su vez, trabajó en superar el dolor y la desconfianza acumulados.

A medida que se embarcaban en este viaje, descubrieron nuevas formas de conectarse. Comenzaron a redescubrir sus intereses compartidos, encontrando alegría en las pequeñas cosas que solían unirlos en el pasado. El perdón fue la clave para desbloquear el camino hacia la sanidad. Perdonarse mutuamente y dejar ir el peso del pasado les permitió avanzar y enfocarse en construir un nuevo futuro juntos.

No fue un camino fácil, pero a medida que se comprometieron con el proceso, Diego y Valeria experimentaron una sanación profunda en su matrimonio. Descubrieron que la verdadera fortaleza radica en enfrentar los desafíos juntos y trabajar constantemente para nutrir y cuidar su amor.

Un camino hacia la sanidad en un matrimonio que está experimentando un "amor enfermo" implica trabajar activamente para restaurar la salud emocional y la estabilidad de la relación. En este contexto, un "amor enfermo" podría referirse a una relación dañada por la falta de comunicación, conflictos constantes, falta de conexión emocional o problemas de confianza. Por lo tanto, un camino hacia la sanidad en este matrimonio implicaría varios pasos:

Identificar los problemas: Identificar los problemas en un matrimonio puede requerir sensibilidad y observación tanto de acciones evidentes como de patrones subyacentes. Esto podría incluir también patrones de comunicación poco saludables, resentimientos acumulados o falta de compromiso. Es importante recordar que cada relación es única, y lo que podría ser un problema para una pareja puede no serlo para otra. La comunicación abierta y honesta es esencial para identificar y abordar los problemas en el matrimonio. Siempre que exista preocupación, buscar la ayuda de un profesional capacitado puede ser beneficioso para comprender y resolver los problemas en la relación.

Comunicación abierta y honesta: Comenzar una comunicación abierta y honesta en un matrimonio que está pasando por dificultades puede ser desafiante, pero es fundamental para la sanidad. Fomentar un espacio donde ambas partes puedan expresar sus sentimientos, preocupaciones y expectativas sin miedo a ser juzgados. La comunicación es fundamental para abordar conflictos y malentendidos. Recuerda que esta conversación puede ser el comienzo de un proceso más amplio. No siempre se resolverán todos los problemas de inmediato, pero establecer una comunicación abierta y honesta es el primer paso crucial hacia la sanación en un matrimonio. Si sientes que necesitan apoyo adicional, considera la posibilidad de buscar la ayuda de un consejero,

Búsqueda de ayuda externa: Buscar ayuda externa para un matrimonio con dificultades puede ser un paso fundamental hacia la sanidad y restauración. Considerar la terapia de pareja o la orientación profesional para obtener herramientas y estrategias que ayuden a abordar los problemas de la relación de manera más efectiva. Recuerda que buscar ayuda externa es un paso valiente y constructivo. A veces, la perspectiva de un tercero capacitado puede brindar nuevas herramientas y estrategias para enfrentar los desafíos en la relación y trabajar hacia una mejoría significativa en el matrimonio.

Autoevaluación y responsabilidad: La autoevaluación y asumir la responsabilidad en un matrimonio requiere humildad, honestidad y disposición para el cambio. Es un proceso continuo que puede llevar tiempo, pero puede ser profundamente transformador para la salud y la felicidad de la relación. Esto implica estar dispuesto a cambiar comportamientos negativos o destructivos. La autoevaluación y la asunción de responsabilidad en un matrimonio pueden ser procesos desafiantes, pero son esenciales para el crecimiento personal y la mejora de la relación.

La comunicación abierta es clave, el mantener líneas de comunicación abiertas y honestas durante todo el proceso es mucho importante. La comunicación continua es clave para mantener la transparencia y la comprensión mutua. De igual manera, hay que reconocer y celebrar los pequeños logros a lo largo del camino. Esto refuerza el progreso y motiva a la pareja a seguir trabajando juntos. La autoevaluación y la asunción de responsabilidad requieren tiempo, paciencia y dedicación. Sin embargo, este proceso puede ser fundamental para construir una relación más saludable y satisfactoria.

Reconstrucción de la confianza: Construir la confianza es fundamental en cualquier relación, pero se vuelve especialmente crucial en un matrimonio que está experimentando dificultades o se considera "enfermo". La confianza sienta las bases para el crecimiento y la construcción de un futuro compartido. A medida que una pareja trabaja en reconstruir la confianza, también está invirtiendo en el bienestar continuo de la relación. La construcción de la confianza es esencial para la salud y la vitalidad de un matrimonio. Sin confianza, la relación puede experimentar dificultades continuas y ser más susceptible a problemas mayores. La reconstrucción de la confianza es un paso clave en el proceso de sanidad de un matrimonio enfermo.

Tiempo y compromiso: En un amor enfermo, el tiempo y el compromiso son aspectos cruciales para la sanidad y la restauración de la relación. El compromiso a largo plazo implica enfrentar y superar los desafíos juntos. Esto puede incluir dificultades financieras, problemas familiares o cualquier otro obstáculo que surja en la relación.

El tiempo y el compromiso son esenciales para permitir el proceso de sanidad y restauración, aprender de las experiencias y construir una relación más fuerte y saludable. La paciencia y la dedicación a lo largo del tiempo son clave para transformar un amor enfermo en una relación más vibrante y satisfactoria. Y, por último, el reconocer que sanar una relación lleva tiempo y esfuerzo. Estar dispuesto a comprometerse con el proceso de sanidad y priorizar la relación es importante.

Crecimiento conjunto: El crecimiento conjunto es fundamental en un matrimonio afectado por un amor enfermo, y varias razones subrayan su importancia: Desarrollo de la empatía, refuerzo de la conexión emocional, desarrollo de intereses comunes, y enriquecimiento de la vida en la pareja. El crecimiento conjunto contribuye al enriquecimiento general de la vida en la pareja. Es importante experimentar juntos el proceso de mejora personal y alcanzar metas compartidas crea una base sólida para una relación más satisfactoria. El crecimiento conjunto en un matrimonio afectado por un amor enfermo es esencial para revitalizar la relación. Contribuye a una conexión más profunda, a una comprensión más plena y a la construcción de una vida en pareja que se desarrolle y evolucione de manera positiva a lo largo del tiempo. Este viaje hacia la sanidad en un matrimonio enfermo implica un compromiso profundo con el crecimiento individual y conjunto, la construcción de confianza y la creación de una relación más sólida y satisfactoria a lo largo del tiempo.

CAPITULO TRECE

RENACER DESPUES DE
UN AMOR ENFERMO

R enacer después de un amor enfermo implica experimentar una transformación profunda y positiva en una relación después de haber enfrentado dificultades significativas. El renacer después de un amor enfermo implica un proceso de transformación, crecimiento y renovación en una relación. Es un compromiso activo de construir un futuro más positivo y saludable juntos, superando los desafíos pasados y construyendo sobre una base renovada de amor y conexión.

Conozcamos la historia de Sara y Martín, una pareja que experimentó el renacer de su amor después de atravesar momentos difíciles en su matrimonio.

Primer Ejemplo: Conozcamos la historia de Sara y Martín, una pareja que experimentó el renacer de su amor después de atravesar momentos difíciles en su matrimonio. Sara y Martín se conocieron en la universidad y se enamoraron perdidamente. Se casaron jóvenes, llenos de sueños y expectativas. Sin embargo, con el tiempo, la rutina, las responsabilidades y las presiones externas comenzaron a afectar su relación. Ambos estaban inmersos en sus carreras profesionales y descuidaron gradualmente la conexión emocional que una vez compartieron. Los desafíos se acumularon, y la comunicación se volvió escasa y conflictiva. Pequeñas diferencias se convirtieron en grandes desacuerdos, y la distancia emocional se hizo evidente. Sara se sintió ignorada, mientras que Martín se sintió incomprendido. La falta de atención y apoyo mutuo los llevó a un amor enfermo, lleno de resentimientos y dolor. Sin embargo, en lugar de rendirse, decidieron enfrentar sus problemas de frente. Buscaron la ayuda de un consejero matrimonial para guiarlos a través del proceso de sanidad. Durante las sesiones, Sara y Martín se comprometieron a trabajar en su comunicación y a reconstruir la confianza perdida.

El proceso fue desafiante. Tuvieron que confrontar sus propias debilidades y aprender a escucharse mutuamente de manera genuina. Martín se comprometió a dedicar más tiempo a la relación, reduciendo las horas de trabajo y participando activamente en la vida de Sara. Por otro lado, Sara trabajó en expresar sus necesidades de manera clara y en dejar ir el resentimiento acumulado. A lo largo del tiempo, experimentaron pequeños avances que fortalecieron su conexión. Comenzaron a redescubrir las cosas que inicialmente los unieron: intereses compartidos, risas y momentos de complicidad. Aprendieron a apreciar las diferencias y a apoyarse mutuamente en sus metas individuales.

El renacer de su amor no fue instantáneo, pero con paciencia, compromiso y empatía, Sara y Martín lograron superar los obstáculos. Se esforzaron por crear un espacio donde ambos pudieran crecer individualmente y como pareja. El renacer de su amor no solo les trajo una relación más fuerte, sino también una profunda gratitud por el viaje que emprendieron juntos.

Segundo Ejemplo: Conozcamos la historia de Marcos y Claudia, una pareja que experimentó dificultades en su matrimonio, agravadas por conflictos con los suegros, y lograron renacer después de abordar estos desafíos. Marcos y Claudia provenían de familias con dinámicas muy diferentes. Mientras que la familia de Marcos era abierta y comunicativa, la familia de Claudia tendía a ser más reservada y tradicional. Estas diferencias generaron tensiones a medida que intentaban equilibrar las expectativas y valores de ambas familias después de su matrimonio.

Los suegros de Claudia, especialmente su madre, tenían expectativas poco realistas sobre la participación de la pareja en eventos familiares y tradiciones. Esto llevó a situaciones incómodas y a menudo generó conflictos entre Marcos y Claudia. En lugar de ignorar el problema, decidieron abordar las tensiones familiares al mismo tiempo que trabajaban en su relación. Buscaron la ayuda de un terapeuta familiar para entender mejor las dinámicas familiares y aprender estrategias para manejar las expectativas. Durante las sesiones, Marcos y Claudia aprendieron a establecer límites saludables con los suegros y a comunicar sus propias necesidades de manera clara y respetuosa. También exploraron formas de integrar las tradiciones familiares de ambas partes de manera armoniosa.

Además, Marcos y Claudia se comprometieron a ser un equipo unido frente a las presiones externas. Trabajaron en fortalecer su conexión emocional, brindándose mutuo apoyo y comprensión en medio de las tensiones familiares. Con el tiempo, la pareja logró cambiar la dinámica con los suegros. Establecieron límites claros, expresaron sus necesidades y, al mismo tiempo, encontraron maneras de participar en eventos familiares de manera que fuera cómoda para ambos. El renacer de su relación implicó no solo resolver los conflictos con los suegros, sino también fortalecer su unidad como pareja. Aprendieron a enfrentar juntos los desafíos externos, protegiendo su relación y construyendo una base más sólida para su futuro.

La historia de Marcos y Claudia destaca la importancia de abordar los problemas familiares de manera proactiva, trabajando en equipo para superar los obstáculos y fortaleciendo la conexión emocional en el proceso. Renacer después de desafíos familiares requiere esfuerzo y compromiso, pero puede llevar a una relación más fuerte y resiliente.

Tercer Ejemplo: Vamos a explorar la historia de Javier y Laura, una pareja que enfrentó problemas de infidelidad y logró renacer después de afrontar estos desafíos. Javier y Laura llevaban varios años casados y enfrentaban las inevitables tensiones y cambios que conlleva el tiempo. Sin embargo, la conexión emocional entre ellos se estaba debilitando gradualmente debido a las demandas de trabajo y a la falta de atención mutua. En este contexto, Javier se encontró involucrado en una relación extramatrimonial.

Cuando Laura descubrió la infidelidad, la relación llegó a un punto crítico. Ambos estaban heridos, enojados y desconfiados. Sin embargo, en lugar de tomar decisiones impulsivas, decidieron buscar ayuda profesional. Acudieron a terapia de pareja para abordar las causas subyacentes de la infidelidad y trabajar en la reconstrucción de su matrimonio. A lo largo de las sesiones de terapia, Javier admitió sus errores y se comprometió a ser transparente y honesto con Laura. Laura, por su parte, exploró sus propios sentimientos y preocupaciones, y ambos comenzaron a comunicarse de manera abierta sobre sus necesidades y expectativas.

La terapia también les brindó herramientas para abordar la falta de conexión emocional que contribuyó a la infidelidad. Aprendieron a redescubrirse mutuamente, a expresar sus emociones de manera saludable y a reconstruir la confianza de manera gradual. Javier y Laura se embarcaron en un viaje de autoexploración y crecimiento personal. Se comprometieron a fortalecer su relación, entendiendo que la reconstrucción después de la infidelidad requeriría tiempo, esfuerzo y paciencia. A medida que avanzaban en el proceso de renacer, tomaron decisiones conscientes para mejorar la calidad de su relación. Esto incluyó establecer límites claros en sus interacciones con otras personas, dedicar tiempo de calidad juntos y participar activamente en actividades que fortalecieran su conexión emocional.

A lo largo del tiempo, Javier y Laura lograron renacer después de la infidelidad. Su matrimonio no solo se recuperó, sino que también se fortaleció a medida que aprendieron a abordar los problemas de manera más saludable y a construir una base más sólida de confianza y comunicación. Este proceso demostró que, con el compromiso adecuado y la voluntad de cambiar, una pareja puede superar incluso desafíos tan difíciles como la infidelidad.

¿Existe esperanza en renacer un matrimonio enfermo? Sí, si hay esperanza en renacer después de un amor enfermo. Aunque las relaciones pueden enfrentar desafíos significativos y momentos difíciles, muchas parejas han logrado superar estos obstáculos y construir relaciones más fuertes y saludables. Aquí hay algunas razones por las cuales hay esperanza en el proceso de renacer después de un amor enfermo:

Compromiso mutuo: El compromiso de ambas partes de la pareja para trabajar en la relación es esencial. Cuando ambos están dispuestos a esforzarse y comprometerse con el cambio, existe un fundamento sólido para la transformación.

Aprendizaje de las experiencias: Las dificultades en una relación a menudo ofrecen oportunidades para aprender y crecer. Las parejas pueden identificar áreas de mejora, comprender las necesidades y expectativas del otro, y aprender a abordar los conflictos de manera más efectiva.

Comunicación abierta: La comunicación abierta y honesta es clave para resolver problemas y reconstruir la confianza. Una pareja que puede expresar sus sentimientos, escucharse mutuamente y trabajar en soluciones tiene una base sólida para el renacer de su amor.

Búsqueda de ayuda profesional: La terapia de pareja puede proporcionar una guía objetiva y herramientas prácticas para abordar los problemas en la relación. Un terapeuta puede ayudar a las parejas a comprenderse mejor y a desarrollar estrategias para mejorar la conexión emocional.

Compromiso con el cambio: Reconocer la necesidad de cambiar y comprometerse activamente con ese cambio es fundamental. Las parejas que están dispuestas a dejar atrás patrones negativos y adoptar comportamientos más saludables tienen la oportunidad de renacer y fortalecer su amor.

Tiempo y paciencia: El proceso de renacer lleva tiempo y requiere paciencia. No todos los cambios suceden de inmediato, pero con un compromiso constante y esfuerzos continuos, las parejas pueden avanzar hacia una relación más saludable.

Redescubrimiento mutuo: En el proceso de renacer, las parejas pueden redescubrirse mutuamente. Esto implica recordar las cualidades que inicialmente los atrajeron, encontrar nuevas formas de conectarse y cultivar una apreciación renovada el uno por el otro.

Aunque cada situación es única, la esperanza reside en la capacidad de las parejas para aprender, crecer y adaptarse. Renacer después de un amor enfermo implica un esfuerzo conjunto, pero muchas parejas han experimentado una transformación positiva en sus relaciones después de enfrentar desafíos y buscar de Dios en todo los que hagan.

CAPITULO CATORCE

UN AMOR SANO Y VERDADERO

Un amor sano y verdadero en un matrimonio restaurado se caracteriza por diversas cualidades y dinámicas positivas que contribuyen al bienestar emocional y la satisfacción mutua de la pareja. A pesar de haber superado dificultades, la pareja renueva su compromiso mutuo continuamente. La voluntad de seguir invirtiendo en la relación y trabajar en el crecimiento conjunto es esencial para mantener un amor sano y duradero. Vivir bajo un amor sano y verdadero en un matrimonio puede tener una variedad de beneficios que afectan positivamente la calidad de vida de ambos cónyuges.

- Un amor sano y verdadero en un matrimonio restaurado se construye sobre una base de comunicación abierta, confianza, respeto mutuo y compromiso duradero. A través de la superación de desafíos y la dedicación al crecimiento conjunto, la pareja puede experimentar una relación más fuerte y más satisfactoria.

- Un amor sano y verdadero proporciona un entorno emocional seguro y estable. Ambos cónyuges se sienten apoyados, comprendidos y valorados, lo que contribuye al bienestar emocional individual y compartido.

- Un matrimonio basado en un amor sano está asociado con una mejor salud mental. La conexión emocional, la comunicación abierta y la capacidad de enfrentar desafíos juntos pueden reducir el estrés y la ansiedad.

- Las parejas que viven bajo un amor sano suelen experimentar una mayor satisfacción en la vida. La calidad de la relación influye directamente en la percepción general de la felicidad y la plenitud.

- Un amor sólido proporciona un sistema de apoyo valioso durante los momentos difíciles. Cuando la vida presenta desafíos, la pareja puede enfrentarlos unida, lo que aumenta la capacidad de superar adversidades.

- La calidad de las relaciones matrimoniales también puede tener impactos positivos en la salud física. La investigación ha sugerido que las personas en matrimonios saludables pueden experimentar beneficios como una presión arterial más baja y un sistema inmunológico más fuerte.

- Un amor sano fomenta el crecimiento personal y conjunto. Las parejas se apoyan mutuamente en la búsqueda de metas individuales y comparten un viaje de desarrollo conjunto, lo que contribuye al enriquecimiento personal y a la fortaleza de la relación.

- La estabilidad emocional y la sensación de seguridad son características de un amor sano en el matrimonio. La pareja se convierte en un punto de apoyo confiable, lo que permite a ambos enfrentar los desafíos de la vida con confianza.

- En un amor sano, la comunicación es abierta y efectiva. Esto facilita la resolución de conflictos, la comprensión mutua y la prevención de malentendidos, lo que contribuye a un ambiente armonioso en la relación.

- Existe evidencia que sugiere que las personas casadas, especialmente aquellas en matrimonios felices y saludables, tienden a vivir más tiempo que las personas solteras o en matrimonios disfuncionales.

- Un amor sano y verdadero en el matrimonio contribuye a una felicidad duradera. A través de la construcción de una relación sólida, basada en la conexión emocional y el compromiso mutuo, las parejas pueden disfrutar de la compañía y el apoyo del otro a lo largo del tiempo.

En resumen, vivir bajo un amor sano y verdadero en un matrimonio no solo tiene beneficios emocionales, sino que también puede influir positivamente en la salud física, el bienestar mental y la satisfacción general en la vida de ambas personas. La inversión en una relación saludable puede generar recompensas a largo plazo.

En un matrimonio marcado por un amor sano y verdadero, la conexión emocional se convierte en el pilar fundamental de una relación duradera y satisfactoria. En este contexto, la comunicación abierta y honesta se erige como el puente que une a ambas partes, fomentando la comprensión mutua y estableciendo una base sólida para el crecimiento conjunto. Este tipo de amor va más allá de la mera convivencia; es un compromiso profundo y continuo. Los cónyuges, conscientes de la importancia de la relación, se esfuerzan por mantener una conexión emocional robusta, nutriendo un ambiente de confianza, respeto y apoyo constante.

La salud de la relación se ve reflejada en la capacidad de superar desafíos juntos. La resiliencia y la voluntad de adaptarse a las vicisitudes de la vida fortalecen aún más el lazo matrimonial. La pareja se convierte en un equipo, enfrentando no solo los éxitos, sino también las pruebas, unidos por la determinación de preservar el amor que han construido. La celebración de logros y momentos especiales se convierte en una práctica regular. Este hábito de reconocer y valorar las victorias, grandes o pequeñas, contribuye a una atmósfera positiva y de gratitud. La pareja se apoya mutuamente en la consecución de metas individuales, entendiendo que el crecimiento personal enriquece la relación.

La estabilidad emocional y la sensación de seguridad son características distintivas de este matrimonio. Cada cónyuge se convierte en el refugio del otro, proporcionando consuelo y apoyo en momentos de dificultad. La confianza construida a lo largo del tiempo se manifiesta en una relación en la que ambos pueden ser vulnerables y auténticos. El respeto mutuo y la aceptación de las diferencias son aspectos esenciales de este amor maduro. En lugar de tratar de cambiar al otro, los cónyuges encuentran belleza en la diversidad, apreciando las características únicas que cada uno aporta a la relación.

La intimidad, tanto emocional como física, es cultivada y mantenida. Esta conexión íntima no solo es un reflejo del amor profundo, sino también un elemento vital para preservar la chispa en la relación. La comunicación efectiva y la resolución constructiva de conflictos son habilidades continuamente perfeccionadas, asegurando que los desacuerdos fortalezcan en lugar de debilitar.

Este matrimonio en amor sano y verdadero no es estático, sino dinámico y en constante evolución. Ambos cónyuges se comprometen a renovar su amor y a abrazar el cambio.   La flexibilidad y la adaptabilidad son clave para ajustarse a las diferentes etapas de la vida y enfrentar nuevos desafíos.

Un matrimonio que florece en un amor sano y verdadero es un testimonio de la dedicación, la comunicación auténtica y la voluntad de crecer juntos. Este tipo de relación no solo aporta beneficios emocionales, sino que también influye positivamente en la salud mental, la satisfacción en la vida y la longevidad. Desafiar a mantener este amor saludable es una invitación a cultivar una relación duradera y enriquecedora.

Termino con estas últimas palabras: A aquellos matrimonios que se enfrentan al desafío de sanar un amor enfermo, les lanzo un último desafío, una invitación a embarcarse en un viaje de renacimiento consciente y transformación. Este desafío no solo busca fortalecer la conexión emocional, sino también nutrir la esencia misma de su relación. Aquí está el desafío final:

Viaje de Autoexploración:

- Comprométanse individualmente a un viaje profundo de autoexploración. Reflexionen sobre sus propias necesidades, deseos y miedos. Identifiquen las heridas del pasado que aún pueden resonar en su relación.

Diálogo Abierto y Auténtico:

- Establezcan un espacio seguro para la comunicación abierta y auténtica. Hagan una lista de las preocupaciones y expectativas que tienen el uno del otro. Aborden los temas difíciles con compasión y escuchen con empatía.

Revisión de Compromisos:

- Revise sus votos matrimoniales originales y, juntos, redacten nuevos compromisos basados en el crecimiento mutuo y la aceptación. Consideren cómo estos compromisos pueden ser realistas, alcanzables y significativos para ambos.

Proyecto Conjunto de Renovación:

- Elijan un proyecto tangible que simbolice la renovación de su relación. Puede ser la renovación de un espacio compartido, la creación de un jardín o cualquier otra actividad que los involucre y fortalezca su conexión emocional.

Sesiones de Terapia o Asesoramiento:

- Consideren la posibilidad de participar en sesiones de terapia o asesoramiento de pareja. Un profesional puede proporcionar una guía objetiva y herramientas para abordar temas más profundos y facilitar la comunicación.

Práctica de Gratitud Diaria:

- Inicien una práctica diaria de gratitud. Tómense el tiempo para expresar verbalmente lo que aprecian el uno del otro. Esto puede ayudar a cambiar el enfoque hacia aspectos positivos y fortalecer la conexión emocional.

Creación de Nuevos Recuerdos:

- Intencionalmente creen nuevos recuerdos significativos. Planifiquen actividades juntos que les permitan explorar nuevas experiencias y fortalecer la conexión emocional a través de momentos compartidos.

Apertura a Cambios Individuales:

- Estén abiertos a los cambios individuales y mutuos. Reconozcan que el crecimiento personal es esencial para la salud de la relación y apoyen los esfuerzos de cada uno en este sentido.

Celebración de Pequeños Éxitos:

- Celebren cada pequeño éxito en su viaje de renovación. Reconozcan y celebren los cambios positivos, por pequeños que sean, fomentando así una mentalidad de gratitud y progreso.

Compromiso Continuo:

- Hagan del compromiso continuo una parte central de su relación. Comprendan que la renovación de un amor enfermo es un proceso constante y requiere la dedicación continua de ambos.

Este desafío no pretende ser una solución rápida, sino una guía para un viaje continuo de redescubrimiento y renovación. A medida que se sumergen en este proceso consciente, permitan que el amor, ahora más fuerte y sabio, los guíe hacia un nuevo capítulo lleno de conexión emocional, resiliencia y la promesa de un amor renovado. ¡Que este desafío sea el punto de partida para un amor que florezca incluso más allá de las heridas pasadas!